人間関係を
思い通りにし、
最高のパフォーマンスを
実現する方法

頭に来ても
アホ
とは戦うな!

Method with the stress of
human relations as power.

田村耕太郎

朝日新聞出版

自分に、こう問いかけてみてほしい。

怒りや悩みで時間を無駄にしてはいないか？

他人の目ばかり気にしていないか？

本当にすべきことに全力を注いでいるか？

はじめに

私がこの本で送りたいメッセージは経営戦略に似ている。「限られた資源を無駄使いするな」ということだ。

時間もエネルギーもタイミングも、たった一度の人生を思い切り謳歌するための、限られた財産である。それを「アホと戦う」というマイナスにしかならない使い方で浪費するなと言いたいのだ。ナイーブ（英語の本来の意味である子供っぽいという意味）で純粋でまっすぐであるがゆえに、アホな連中と無駄に戦ってしまい、心がすり切れてしまった人たちに、前向きな成果を何も生み出さない行為に時間やエネルギーを費やすことをやめてほしいのだ。そして、その限られた時間とエネルギーを一度しかない大切な人生を輝かせることに使ってほしいのだ。

そういう意味で、この本は「非戦の書」である。私が世界最高の非戦の書だと思う『孫子の兵法』が、２５００年の時を超え、現代実社会版になったのがこの本だと自負している。その孫子の兵法で一番有名な一節として、「百戦百勝は善の善なるものに非《あら》ず。戦わずして人の兵を屈するは善の善なるものなり（百戦百勝といっても最高の優れた戦い方ではない。敵兵と戦わないで屈服させることこそ最高の戦い方である）」というのがある。私は、この孫子の一節をさらに進化させ「敵と戦わず屈服させるだけでなく、その力を自分の目的を達成させることに利用する」ことをこの本で説いている。

『孫子の兵法』が世界中の経営者に今でも愛読されているのは、「限られた資源を無駄使いするな」というメッセージが経営戦略そのものであるからだ。

「アホ」というと、ある程度心当たりがあるだろう。要は、むやみやたらとあなたの足を引っ張る人だ。会議でなぜかあなたの発言だけにいちゃもんをつけたり、チームメイトなのに明らかに敵意を見せつけて協力的な態度をとらなかったり、明らかにこちらの意見のほうが正しいのに、権力を振りかざしてそれをつぶそうとしたり……。

そんなとき、悔しさで仕事が手に着かなかった経験はないか？

なぜ自分にばかり厳しく当たるのだろうと、くよくよしたことはないか？

はらわたが煮えくり返り、家に帰ってもなかなか怒りがおさまらなかったことはないか？

しかし、間違っても「やり返してやろう」などと思っていないことを祈る。

実は、あなたのそうした思考が最も危険なのだ。

2013年一世を風靡《ふうび》した流行語「倍返し」、松坂大輔がプロ入り直後に流行語にした「リベンジ」、さすが仇討《あだうち》文化のある我が国ならではの国民的支持である。かくいう私もどっぷり日本人なので、これらに共感する部分もしっかりある。

しかし同時に「この言葉が受けてしまう日本は危ないなあ」とも思う。怒りとか憤《いきどお》り、ましてや仕返しなど無駄で後ろ向きなことなのだ。終わったことにこだわってさらに悪循環に陥る可能性がある。

アホが許せないという責任感や正義感はある意味素晴らしいが、やはりナイーブだともいえる。

正義感や責任感の裏には、日本のテレビや教育、その底辺に流れる勧善懲悪《かんぜんちょうあく》という甘えがある。〝最後に水戸黄門や大岡越前が出てきて助けてくれる。悪い奴はやっつけられる〟という信仰だ。残念ながら、勧善懲悪などなかなか起こらない。いい悪いではなく、それが人生、現実世界だ。

悪い奴ほど出世する。どうやら真理と善悪とは別である。私が知る限り、少なくとも成功する人は善悪ではなく真理を追求しているようだ。いい人生を送りたかったら、善悪の判断はできたほうがいいが、善悪、もっといえば勧善懲悪にこだわってはいけない。追求すべきは「真理」だ。一つの真理は、勧善懲悪を人生に期待してはいけないということだと思う。

悔しい過去にこだわり、未来を犠牲にするか、それとも、成功するための真理に集中するのか。過去を引きずるより、もう終わったことにしたほうが傷は浅いのに、悔しさを晴らそうと、さらに過去に時間とエネルギーを投資してしまう。

残念ながら、日本のような嫉妬《しっと》社会ではアホが出世しやすい。能力がある人格者は、出世する途中で多数のアホに足を引っ張られてつぶされる可能性が高いからだ。そんな事例を政界やビジネス界でたくさん見てきた。アホはアホを気持ちよく支持するのだ。

このように、権力を持っている連中の中にアホが多い。つまりアホは厄介な敵なのだ。そんな敵を増やした代償が、気分が晴れるということだけなんて、全く釣り合わない。一度しかない人生の貴重な時をそんなことで無駄使いしてほしくない。

日本社会では冷静にやるべき議論が成立せず、議論は個人の人格攻撃と捉えられがちなので、失うものが時間やエネルギーですまなくなることもある。成功者は無駄に戦わない。戦うべき時と相手を選ぶ。アホと戦う無駄を知り尽くしているから成功するのだともいえる。

戦うべき相手は人間関係で「くよくよ悩む自分」「腹を立てる自分」だと思ってほしい。そして、神経をすり減らさないための第一のポイントは、自分にもっと関心を持つことだ。

そもそも、日本人は他人に関心がありすぎる。お互いが他人に関心を持っていて相互監視社会のように感じるときさえある。他人ばかり気にしていたら自分と向き合う時間がなくなってしまう。

これからは、自分が本当に何がしたいのか？　そのために何が必要なのか？　そっちに専念したほうがいい。それがわかれば、他者のことを気にする暇なんてないことがわかる。

戦うべきなのは、〝アホと戦う〟なんてアホなことを考えてしまう自分のみ。彼らと戦って時間とエネルギーを無駄にしてきた最高のアホである私だからこそ、こう言い切れる。

アホと戦わない生き方こそ、あなたがあなたらしくあることができ、あなたが目指す目標により近づけることになるのだ。大切な人生をより輝くものにするためにも彼らと戦ってはならない。そんな人間は放っておけばいいのだ。無駄に戦えば、あなたのほうが人生を大事にしない最低のアホになってしまう。

さあ、これから無駄な諍《いさか》いなんて放り出し、人生を謳歌する旅に一緒に出かけよう！

頭に来てもアホとは戦うな！　目次

はじめに――2

第1章

アホと戦うのは人生の無駄

他人とのいざこざで人生を浪費していた自分――16

無駄な戦いを繰り広げる人の特徴――20

正義感が強い／自信にあふれる／責任感が強い／プライドが高い／おせっかい

厄介な無駄なプライドの捨て方――29

必ず「ダメになる」人の特徴／「等身大の自分」を冷静に見極めよ

蒸し返して傷を大きくするな――34

サンクコストで割り切れ／タイムコストを考えよ

第2章

臆病者のための戦略的コミュニケーションのススメ

臆病なコオロギの強さ —— 38
嫌な相手にこそやられたフリ —— 40
メンツより実利 —— 43
「生意気は元気な証」だなんて思うな —— 45
耐えて耐えて、耐え抜いた人が勝つ —— 47
消えない怒りの解きほぐし方 —— 50
まずは相手の動機を探る／瞬時に反応してはいけない
カッときたら幽体離脱 —— 54
仕事に敵という発想はいらない —— 57

第3章

どんな強者でも味方にする"人たらし"の技術

きまずいときこそ、無理にでも話しかける――59
アップサイドのある人だけに絡め――63
それでも一度はアホと戦え！――67
人生で一番大切な能力――72
本当に頭がいい人とは？／エリートなのに挫折する理由
相手の気持ちを見抜くためのちょっとしたコツ――77
人を意のままに動かす技術――81
理屈よりも感情／どんな相手にでもリスペクトを
腰の低い人ほどデキる人が多いのはなぜか？――86

困っていなくても困った顔をせよ――89

淡々とこなす者が最後には勝つ――93

得意淡然、失意泰然／「男の嫉妬」は最大の敵

2年間売上ゼロの私が、全社で1位になれた理由――98

数字は人格／自分のことばかり考えていると損をする

常に楽天的であれ――104

志が人を動かす／絶大な信頼感の源

皮肉な「ものの見方」を鍛えよ――109

偉くなっても偉ぶらない〝偉さ〟――113

第4章 権力と評価の密接な関係

上司があなたを見てくれないのはなぜか？――118

仕事で評価される人・されない人 ―― 122
なぜ彼ばかりが出世するのか？／ゴルフ、カラオケでは愛い奴になれ
不本意な人事異動の正しい耐え方 ―― 127
期待値コントロールの技術／腐るのは人生の最大の無駄
無駄な会議を建設的にする方法 ―― 132
不毛な国会／会議に参加しないで済むコツ
喧嘩が下手な日本人 ―― 139
なぜ日本はアマゾンも匿名書評なのか？／予定調和で出来上がった社会
日本企業は権力闘争が好き？ ―― 143
政治権力はビジネスに不可欠／「調整型」が評価される組織にありがちなこと
力にすり寄るのは汚いことか ―― 147
無頼派は楽だが損／目的のために「組織力」を利用せよ
権力を握る人の条件 ―― 151
権力闘争に巻き込まれたら／常に情勢を把握せよ

第5章

他人の目を気にするな

飲み会を有意義にする方法――155

不機嫌な職場で、息苦しいあなたへのヒント――158

人生は、あなたが主役であるべきだ――162
他人の人生を生きていないか？／死ぬときに後悔すること

人に好かれたい願望――167

張り合わず、自分のために利用せよ！――170

苦手な相手に「うん」と言わせる説得術――173
小さな合意から積み重ねる／手っ取り早い関係改善法

突き抜けたプレゼンはテクニックより「本気度」――179

最終章

アホとではなく自分と戦え！

自然と自信がつく、スーツの着こなしのコツ――182
心がポッキリ折れたときの自信の取り戻し方――184
他人を恨むな――187
ネットを見る暇があったら自分と向き合え――192
成功者がＳＮＳをしないワケ／自分を叱咤激励せよ
デキる人間に囲まれた環境に飛び込め！――196
自分の人生に満足できるかが、すべて――199
リスクだらけの人生をどう生きるか？――203
準備をして未来に自信を持て／ピンチをチャンスと考える

有限な人生を活かすために、私がやっていること——207
道半ばで逝ってしまった友人たち／肉体のコンディショニングを重視せよ／劇的に人生が豊かになる習慣
あなたの「目的」はどこにある？——213
おわりに——218

ブックデザイン　小口翔平＋西垂水敦（tobufune）

第1章

アホと戦うのは人生の無駄

他人とのいざこざで人生を浪費していた自分

　ここで想定するアホとはどんな人物だろうか？　一言で言えば、あなたがわざわざ戦ったり、悩んだりする価値のない人間である。そして不条理な人物である。あなたにとって一見、目障《めざわ》りで邪魔である。時として正当な理由もなくあなたの足を引っ張ってくる当たり屋でもある。あなたに体当たりして絡んで、自分の価値を上げようとする人物だ。

　あなたにしつこくアタックしてくるアホの特徴は、まず暇であること。暇に加えて、これはあなたが知らねばならない大事な特徴だが、このアホはあなたに強い関心がある。しつこく嫌なことをやってきたり、言ってきたりする人は、実はあなたに興味があり、かまってほしかったりする。つまり、あなたに振り向いてほしいから理不尽なことを言ってくるのだ。

　表向きは気付いてはいないかもしれないが、深層心理では多分あなたが好きだ。嫌いというケースもあるだろうが、深層心理では、好きも嫌いも、強い関心があるということで同じである。あなたがアホだと思うくらいだから、その人物の実力を認めていない。しかし、それなりにあなたの未来に影響力を持っている場合がある。だからあなたは気にしてしまう。本書では、そんな人物のことを想定している。

こうした人物には、もうすでにこちらから〝嫌いオーラ〟を送ってしまっている可能性が高い。向こうはあなたに関心があり、潜在意識では好きかもしれないのに、あなたが嫌いオーラを発していたら、向こうの愛は憎しみに変わる。そして、すでに決戦の火ぶたは切られてしまっている。

私の周りにもそういう人間がいた。企業で働いているときも政界に入ったときも。そして多くの場合、自分の未熟さゆえにそういう人物と戦っていた。

政界というのは不条理の塊《かたまり》みたいなところがある。政治家としての優秀さというのは数字では公平公正にはかれず、人事や発言権というのは、よくわからない基準で決まっていた。

はたから見ても閣僚人事やテレビに出てくる政治家の発言を聞いても、なんでこの人が……と思う場合が多いと思う。実際に政党や政府の中に入ってみると、各種の手練手管《てれんてくだ》を駆使して地位や権力を獲得する先輩や同僚の姿を目の当たりにすることが少なくなかった。

私のような30代で民間から政界入りしたナイーブな若造はそんな彼らを「清濁《せいだく》併せ呑む」のはなんともできかね、時として嫌悪を感じる日々であった。納得いかない気持ちで寝付けない夜もあった。政治家という職業は素晴らしい仕事だと思うし、志を立ててせっかくなったものだが、当時は政治家になったことを心から後悔した日もあった。その嫌悪感から、アルコールに頼って体調を悪くしたり、酔って腹いせにその人たちの悪口を言い触らして自分の評価をさらに下げたこともあった。

先輩や同僚の不条理な発言や行動を見ていると尊敬するどころか軽蔑したくなり、それ以上に、たまに成敗《せいばい》したくなっていた。与党の会議や会食の席で論破してやろうと挑戦したこともあって、周りをヒヤヒヤさせたこともあった。当然、こうして真正面からかかわることで、いいことや成長機会はなかった。

今冷静に考えれば、権力にすり寄る彼らの努力は、洋の東西を問わず、さらに上に近づく最も大事な準備作業であり、彼ら自身不本意ながらも、清濁併せ呑む覚悟でそれを積み重ねていたのかもしれない。むしろ、その先輩や同僚を非難するより、称賛すべきだったのかもしれない（つまり、あなたがアホと思っている人は、実は誰よりも賢い可能性があることを忘れてはならない。ただ、本当のアホもいるので注意が必要だ）。

権力にすり寄る行為に嫌悪を感じて、そういうことをする人たちと戦おうとしていた自分はとてつもなく青臭く、今思えば情けない。

幸い先輩が常に守ってくれていたので事なきを得た。それ以上に幸いだったのが、そうした政界で長いキャリアを持つ先輩たちからアホと戦う無駄さを教えていただいたことだ。その結果、頭に来たり恨んだりすることで、本来はステップアップに使うべきエネルギーや時間を相当浪費してしまっていることに気がついたのだ。

無駄な戦いを繰り広げる人の特徴

アホと戦う可能性がある人物の特徴として、次の点が挙げられる。

・正義感が強い
・自信にあふれる
・責任感が強い
・プライドが高い
・おせっかい

正義感が強い

正義感の強い人とはどういう人か。物事を判断するときに善悪を最上位に置いている人のことだ。時代劇を見すぎて育った私がその代表だった。正義感を持つ根拠は、最後は正義が勝つと思っていることだ。

おてんとう様は見てくれている。どこかからスーパーマンやアイアンマンが飛び出してきて助けに来てくれる。自分はヒーローである。水戸黄門が風車《かざぐるま》の弥七《やしち》を先導して助けに来てくれる。大岡裁きが悪を何とかしてくれる。

学生時代まではこの感覚で許されるかもしれないが、現実社会に出てからは考え直したほうがいい。どうやらどこにも超人的ヒーローが現れて、正義の鉄槌《てっつい》を下してくれる事例はなさそうだからだ。

アメリカでは有能な弁護士を雇う資金力があれば、どんな犯罪でも有利な判決に持っていけるといわれる。つまり、ある意味、お金で正義が買えるともいえる。インドやインドネシア、ロシアに行けば、いまだに交通違反のもみ消しをするときや、ビザの取得等の官僚の仕事を有利にするときなど、チップのように賄賂《わいろ》を要求される。

確かに日本はここまでひどくはない。しかし、正義は常にまかり通るわけではない。もちろん悪を奨励しているわけではないが、最後は正義が常に勝つというナイーブな考えも奨励しない。

洋の東西を問わず、スーパーヒーローがフィクションの世界であれだけ求められるのは、現実にそういう「スカッとする」ものがないことの裏返しだ。また、正義は人の数ほどある。その正義を完璧に数値化して公平に判断するのは不可能だ。人生は不条理だと思ったほうがいい。そもそも〝条理〟は人間が考えた勝手な幻想ともいえる。あなたの思う通りに世の中はできていないのだ。神や仏はいるかどうかわからないが、そういう絶対的な存在が常に条理にかなった鉄槌を下してくれるわけではなさそうだ。

世の不条理を受け入れ、まかり通らないのを百も承知で正義とともに殉《じゅん》じる覚悟なら、それはそれでいい。しかし、そこまでの覚悟がないなら、善悪を最上位において、正義感を世の中にむやみやたらに要求することは避けたほうがいい。正義感から他者と無駄な諍いをすることはもってのほかだ。なぜなら、相手が勝つ場合が結構あるからだ。

自信にあふれる

いろんな意味での自信である。自分が正しいという自信。相手を論破できるという自信。相手に権力闘争で勝つ自信。相手に成果で勝つ自信。根拠のない自信もあれば、実績に基づく根拠ある自信もあろう。

何事もカラ元気であっても自信を持って取り組むべきだと思うが、自信家が相手を論破しようとするときほど、相手から見て屈辱的なことはない。私は金融庁担当の政務官や自民党の財金部会の副部会長や国会の財金委員会の理事をやっていた頃、金融界の人たちとの意見交換の場をたくさんもうけていた。金融界の実力者は学生時代からエリートコースをそのまま歩んできたような人が多い。腹の底では政治家や官僚を馬鹿にしている人が多いのが、鈍い私でも感じられた。「官僚はまだしも政治家なんて経済も金融も何も知らないだろ」という感じで、意見交換でも自信満々に国会や与党の法案や政策を論《さと》そうとする人が多かったのだ。

上から目線の自信家に論破調で来られたとき、こういう人は何を考えているのだろうかと思った。われわれに影響を与えたいのか？　馬鹿にしてスカッとしたいのか？　教育してやるから言うことを聞けという、自分の部下にするような気持ちなのだろうか。

一緒にいた先輩たちが言葉には出さないが「あいつらにちょっとお仕置きをしてやろうか」という感じの顔になっていたのをよく覚えている。自分のほうが頭がいい、知識がある、と思っている人間のやる行為は、明らかに逆効果な場合が多いのだ。頭がいいかもしれないが、愚《おろ》かなのだ。

加えて、自信家はどんどん脇が甘くなっていく。自信を持って成功してきた経験が次への準備を怠らせる。自信があるから未来の想定も甘くなりがちだ。相手を不快にさせるだけでなく、相手の出方を含めた未来の想定をなめてしまい、自分の能力をさらに過信していく。こうして悪循環になっていく。

自信のあるときこそ、自信のある人こそ、謙虚にそして危機感を持って事に対応すべきなのは洋の東西、何事にでも言えることだ。

責任感が強い

これも一種の正義感だが、背景にあるのが自分の正義ではなく、組織のためのものであるから献身的であり、身勝手な正義よりレベルが高い。人事や業績や戦略に責任を感じているから、他者と戦ってしまうのだ。こういう人がいてくれたら組織にとって奇跡だといえるだろう。身を挺《てい》して組織のために組織内のアホに立ち向かう人なんて普通はなかなかいない。

でも、やり方に問題があると思う。どんな理由だろうが、アホに思える相手とは戦ってはいけない。それが自分の信念のためであろうが、所属している組織全体のためであろうが、彼から見たら、向かってきているという事実は同じである。アホは組織全体のことなどそんなに考えてはいない。そもそもだからアホなのだ。

責任感を感じているなら、組織のためならば、戦ってはいけない。相手を気持ちよくさせて組織のために誘導しないといけない。先ほど述べたように、嫉妬社会・日本では、能力ある本来なら出世してほしい人が、多くのアホに結託され、途中で足を引っ張られ、引きずり下ろされてしまいがちだ。アホは権力にすり寄ってきた場合が多いので、その分彼らは権力の中枢に発信力を持っている。そういう人間を敵にして、怒らせては組織のためにならないのだ。

他者を組織全体のために誘導するというのは相当な高等戦術であり、本当にそれができたら素晴らしいが、できないとしても、立ち向かって怒らせて制御不能にしてはならない。

プライドが高い

プライドというものはほとんどの場合、邪魔にしかならない。功を奏するプライドの持ち方は、自分の仕事の質に対して持つプライドのみとも言ってよい。

「プライドが高い」と言われるたいていのケースは〝他人によく思われたい〟という思いが強いにすぎない。相手になめられたと感じ、時に怒ったり、機嫌を悪くしたりするのは、このタイプの人間だ。

自分の仕事の評価において、大事な相手になめられるのは、確かにいけない。しかし、「質の高い仕事をする」というプライドを持ち、手抜きをしたい自分と戦いながら仕事を続けていけば、相手が馬鹿にしてなめてくるようなことはないし、それでもなめてくるような相手とは仕事をしなければいい。

プライドやメンツをつぶされた？　それがどうした？

そんなものどうでもいいのである。

おせっかい

これもある種の正義感ともいえる。他者を正してやりたいとの気持ちだ。他人の喧嘩の仲裁に入るだけでなく説教もしてしまうようなタイプの人である。親切にもアホを是正しようと思ってしまうのだ。残念ながら、すでにいい年になったこういう人物を正すのは不可能である。

いくら見事に論破しても、こういうアホたちが自分の考えを変えるとは思いにくい。美しく論破されたら、あなたに対する恨みが増すだけだろう。次は姑息《こそく》な手を使ってでもリベンジしてくるかもしれない。その前に、誰から見てもいくら見事に論破したと思われても、アホは論破されたと思っていない可能性が高い。言いがかりをつけられたとか、屁理屈で言いくるめられたと思って、被害者意識を持ちながらあなたを憎むことだろう。

おせっかいの傾向のある人は、たいていはお人よしで純粋な人が多い。ある意味、自信家であり、自分は問題を解決できると思っているから、いろいろとおせっかいという形で介入してくるわけだ。

しかし、この世の中、自分がコントロールできることは意外に少ない。私のモットーでもあるが、〝自分がコントロールできることだけに時間もエネルギーも集中するべき〟だ。他人の気持ちはコントロールできない。どれだけ説得しても、どんなにわかったと口に出されても、わかったような顔をされても、まあ「万が一」でも0・01パーセントでもわかってくれたらもうけものくらいに思っておくのがいいと思う。つまり、「万が9999」は憎まれて倍返しされる可能性が高いので、おせっかいほど危険なものはない。

厄介な無駄なプライドの捨て方

必ず「ダメになる」人の特徴

政界でも実業界でも「ダメになるだろうな」という人には共通点がある。これはかくいう私自身のことでもある。

まず、成功する人の共通の特性は、常に「自分を見失わない」ところだ。一方失敗をする人の共通点とは「自分を見失う」ことにある。

そして、この「自分を見失わせるもの」こそが〃無駄なプライド〃だ。舞い上がって妙なプライドを身にまとっている人は、それを通して物事を見てしまうから、自分が見えなくなる。

本来であれば、等身大の自分を知り、その上で達成しようと思うものを持つのが正しい目標設定だ。たとえ成功途上でも、等身大の自分と、目標に比しての自分の到達点を見失わなければ、成功を続けられる。ところが、少し成功してしまったりすると、たちまち妙なプライドが自分の視野に入ってきて、等身大の自分を見る姿勢を邪魔してしまう。そこで多くの人が、自分や自分の目標を見失い落ちていく。

妙なプライドを持っている人は、どこかでちょっとした成功体験を持っている場合がほとんどだ。成功体験があるからプライドを持ってしまう。そこでつけてしまったプライドが、等身大の自分を見続けることを邪魔しているのである。

成功すると、いろんな意図を持った人が持ち上げに来る。そういう称賛の声は素直に受けたほうがいいが、決して真に受けないことだ。人生の途上のちょっとした成功なんて、これから続くかどうかわからない。いい学校や組織に入れたり、たまたまいい成績を出したり、何か資格や賞をとったり、選挙に当選したり、いい肩書きを手に入れたり、それはそれで素晴らしいことだが、経過を目標と読み違えないこと。

通過点を越えるたびに自信をつけたり、一休みしたりするのはいいことだが、調子に乗ることは絶対にあってはいけない。常に「通過点だ」「目標はこんなもんじゃない」と思っておこう。まだ何も成し遂げていないのに、威張ったり人を見下したりする自分がいたら叱りつけるべきだ。

初当選して国会議員になったとき、すべての待遇が変わった。ここで勘違いが生じやすい。飛行機に乗るときもＶＩＰ扱い。新幹線もグリーン車がタダ。まだ何も成し遂げていないのに、どこに行っても誰からも「先生」と呼ばれる。先輩が連れて行ってくれる飲食店は、それまで行ったことのないような場所だ。

有名人とのテレビ番組にも呼ばれ、今までテレビでしか見たことのない有名人たちとカメラの前で馬鹿話をして、自分も有名人になったような錯覚に陥る。外国に行けば在外公館の方々が迎えに来て、情報や資料を適宜まとめて提供してくれる。有能な秘書はアポイント調整から健康診断の手配まで何から何までやってくれ、自分では切符も買えなくなってしまった。

以来、リハビリもかねて自分で何でもやるようにしてきたが、自分で自分のことをやれるようになるまで結構時間がかかった。国会議員になるために選挙は頑張ったかもしれないが、それは陣営の方々が頑張ってくれたおかげにすぎない。当選しただけでチヤホヤされるうちに、妙なプライドが自分を見失わせてしまう。議員になるのは手段にすぎず、途中経過であり、目標ははるかまだ先。なのに、この周りの錯覚のさせ方で、だいぶ多くの議員が妙なプライドがついて自分を見失っている。恥ずかしい話、私もそうだった。

「等身大の自分」を冷静に見極めよ

たった一度の奇跡のような人生を思い切り使い切るために、最も無駄であり〝百害あって一利なし〟なのが、この妙なプライドである。これを断ち切るには、常に等身大の自分を冷静に見つめ、そこから遊離せず、目標に集中することだ。

マー君こと田中将大《まさひろ》投手がニューヨーク・ヤンキースに移籍し、初登板で初勝利を挙げたが、監督含めてプロが絶賛していたのは、その投球内容をはじめとする野球における能力よりも、ピンチになっても持ち上げられても、「決して自分を失わない人間としての成熟度」だった。

自分の目標を達成するためには、妙なプライドは天敵である。妙なプライドを持って相手を見下して張り合ったりするのではなく、本当に戦うべきは、要らぬプライドを持った自分である。

自分自身、持ち上げられて我を見失っていた未熟な政治家であったので、妙なプライドのせいで、知らないくせに「知らないから教えて」と言えず、間違ったり足りなかったりする情報で判断を誤った。プライドから、頭を下げて会いに行くべき人にも会わずに、キーパーソンとの関係構築に失敗したこともあった。

だからこそ、プライドを捨てて、等身大の自分を見失わない訓練をしておくことをおすすめする。褒め言葉はありがたくいただいてパワーにすればいいが、真に受けて有頂天になって、妙な自信を持ち始めたりしないように！

蒸し返して傷を大きくするな

サンクコストで割り切れ

サンクコストとは、簡単に言えば「覆水盆《ふくすいぼん》に返らず」ということだ。サンクコストを理解していないのは日本の組織によく見られる傾向だ。

ある技術に100億円投資したとしよう。その投資を始めた時点では正しい判断であった。しかし、その業界で技術イノベーションが起こり、100億投資してきた技術が不要となった。にもかかわらず、過去の100億がもったいないと、そのもはや無駄な技術にしつこく投資を続けてしまう。このように、日本企業は終わってしまった過去と決別をするのが本当に苦手なのだ。

ビジネスとしては、その100億で出血は止めておくべきなのだ。過去にこだわりその過去の遺物に追加の投資をして傷を深めてしまうことは、さらに愚かな行為となる。終わったことにこだわって、未来を無駄にしてはいけないのだ。

私も昔、時代劇などで「不条理に殺された親の仇討だけ考えて生きてきた子供たち」といったストーリーを感動しながら見ていた思い出がある。それはそれでわかる。日本人には共有されている美談である。

しかし、不条理に殺された親の立場になれば、大事な人生を仇討のために無駄にして、勝てるかどうかわからない決闘で恨みを晴らしてくれることを期待するより、子供の未来の成功を願うのではないか？

ネガティブな執念で負のオーラを自分に出してしまう。それは自分も周りも決してハッピーにはしないものだし、憎んだり、倍返しの戦略を練ったりするために相当な時間とエネルギーが浪費される。果たそうとしても返り討ちにあい、倍の苦しみを与えられる可能性もある。

日々で些《さ》細《さい》な諍いごとがあっても、気にしないのが一番なのだ。たとえやり返したとしても相手はあなたを憎むだけだから、復讐の応酬となって、あなたのチャンスは失われるかもしれない。

タイムコストを考えよ

何をするにしても自分の時間価値を常に意識しよう。1時間あったら何が生み出せるかを考えるのだ。対人関係で思い悩んだり、苛立《いらだ》ったりする時間があれば、その時間で英語やビジネススキルを勉強したり、友人や家族と楽しくすごしたり、英気を養うためにリラックスして趣味にいそしんだりしたほうがずっと生産的だ。

人生は長いと思うが、時間の使い方を誤ればこれほど短いものはない。他者に固執する人間はタイムコストを計算していない。自分の時間価値をわかっていないのだ。だから時間を無駄にする。自分の時間をうまく投資すればどれだけの価値が生めるか？　それを考えていれば、アホを相手にする時間がいかに無駄かわかるだろう。怒りに固執したり、張り合ったり、おせっかいをしようとしたりすることすべてが、自分の時間価値をわかっていないことからくる。人間に一番平等に配分され、それでいて人生で最も大切な資源は時間だ。時間こそが価値を生む。

第2章

臆病者のための戦略的コミュニケーションのススメ

臆病なコオロギの強さ

今や世界中のリーダーが愛読している『孫子の兵法』。この書こそ無駄な戦いを避ける極意の集大成だ。その中に、「敵の10倍の戦力であれば、敵を包囲すべきである。5倍の戦力であれば、敵軍を攻撃せよ」とある。戦いの場では相手の5倍の力がついて初めて好戦的になってもいい。勝ち目のない戦いには臨まず、圧倒的に勝てる態勢を作って、できたら戦わずに勝つのだ。

これが実践されているのが、実は動物の世界である。彼らの世界では強い者が生き残るという考えがある。しかし、これは大きな間違いだ。正しくは、「環境に柔軟に対応する者」が生き残る。同じ種の中で身体が大きく戦闘的な者が生き残るわけではないのだ。下手に知恵がある人間より彼らの方が賢明なのかもしれない。

コオロギを使った実験で興味深いのが、臆病で戦いを避ける者が、戦闘的な者より生き残る確率が高いこと。むやみやたらに戦わず、体力を温存して、健康体を保っているものが生き残り、メスとの出会いをつかみとり、子孫を残す可能性が残されているのだ。

縄張りや異性を巡る戦いで、戦闘的で用心深さがない個体は、戦いすぎて疲弊してしまう。戦いに明け暮れ傷ついているときに、無傷でより若くより体力のある個体の挑戦を受けることになってしまうのだ。また、チンパンジーなどの高等な動物の群れでは、人間と同じようにその個体は目障りだと思われ、ほかの個体から集団リンチにあって殺される場合もある。

アグレッシブな人間が多いと思われている欧米では、過剰に戦闘的な人間の評価は芳《かんば》しくない。ハリウッド映画の中で、さまざまな業界で活躍する主人公たちが激しくライバルや上司と衝突するシーンがあるが、現実では珍しい光景だから映画やドラマで取り上げて表現しているのだ。自己主張が激しすぎる人やすぐに感情的になる人は、ビジネスパーソンとして未熟という烙印《らくいん》を押される。

むやみに戦わないほうが、人生というサバイバルレースでいい結果を生むことがあるのは、動物の世界でも人間の世界でも一緒なのだ。

嫌な相手にこそやられたフリ

私の見てきた成功者は、皆空手より合気道である。正面からの力のぶつかり合いではなく、相手の力を使って相手のバランスを崩し、こちらの有利な体勢に持っていく。そしてお互い怪我をしないよう決着させる。

呼吸を図り、相手の力に逆らわずそれを活かすので、こちらはそんなに筋肉隆々にまで鍛える必要はない。相手がいくら巨大で強力でも、少しポイントをずらせば、こちらがコントロールできるそのコツを知っている。

世界のいかなる護身術でも体力で勝る相手から自分の身を守るためにやるべきことは、相手のその力を利用することだ。相手の力と衝突するのではなく、相手の力がかかっているほうにこちらも力をかけて、相手の力で相手のバランスを崩すのだ。倍返ししたいなら、現実社会でやるべきは、この〝合気道で勝負〟だと思う。

まず頭に来たら、相手に花を持たせて、いい気分になってもらうのだ。アホはアホゆえに皆に好かれておらず、その事実に薄々気づいている。そんな現実にめげないくらい彼らの面《つら》の皮は厚いが、人間誰しも人に好かれたい、人に認められたいという欲望は持つ。頭に来た人間にこそ、笑顔ですり寄って物事を頼んでみよう。頭に来ることがあっても、権力がある人材ほど、まずは花を持たせてあげよう。

そのためには相手の攻撃やいじめにやられているフリをすればいい。反撃をするガッツなど微塵《みじん》も見せず、敵《かな》わなくて悔しいが〝やられた〟〝勝てません〟という姿を見せるのだ。ダメ元で結構。

ライバルへの仕返しは、相手の力を利用してこちらにメリットがあることを実現してしまうようにしたほうが建設的だ。無駄に戦って敵をさらに難敵にしてしまって将来を危うくするより、敵をこちらの味方にして自分のために利用したほうが生産的である。そして相手を最高の味方にすることで、溜飲が下がるだけでなく、未来も明るくなる。

本当に自分のやりたいことにフォーカスすれば、アホにでも頭は下げられる。私も政治家時代、許せない人物に頭を下げないと事が進まないことがあった。若気の至りで何度か衝突したし、逆上して恫喝《どうかつ》みたいなことをしたこともあった。もちろん、そのときの結果は最悪。自分のやりたい政策は頓挫《とんざ》し、ポジションももらえなかった。得たのは一瞬のすっきり感だけである。そんなものは長い目で見ればどうでもいいことで、すぐに消えてなくなる。そしてアホに対してアホなことをやってしまった虚無感と悔しさだけが残った。今振り返れば「どうしてもやりたいっ！」という目的意識が薄かったのだと思う。

その後、そんな痛い目に遭って反省し、平気で頭を下げられるようになった。自分のやりたいことが本気ならば、それがはっきりしていれば、いくらでも頭は下げられるのだ。全然平気なのだ。そしてアホは、くそ生意気で自分に嫌いオーラを発しているような人間が頭を下げてくれたら嬉しいのだ。勝ち誇った気になり、それ見たことかと得意げになる。

それでいいのだ。そこでアホも人間なので脇が甘くなり、情にほだされる。頭を下げるときは、本気で誠心誠意下げないと用心深いので効き目がない。どうせ頭を下げるなら本気で徹底して下げよう。そしてアホに絶対見つからないところにいって、バカヤローと舌を出してストレスコントロールをしよう。陰口はいけない。絶対に伝わる。ＳＮＳやブログに書くのもご法度《はっと》だ。これも必ずばれる。

メンツより実利

人間同士の諍いが起きる理由の多くとして、メンツをつぶされたというものがある。理由は多々あれど、日本はある意味、メンツ争いで隣国と険悪な関係になっている。

この問題がなかなか難しいのは、中国や韓国もメンツを非常に大事にする国だからだ。日中韓で面子《メンツ》は同じ意味だが、重みが違う。特に中国におけるメンツの意味は大きい。メンツをつぶしたらものすごい反撃を受ける。国家や組織のメンツがつぶされた場合は国益にかかわり、メディアを通して政権の信用にもかかわってくるので、外交問題になるのは仕方ないのかもしれない。しかし、われわれの日常生活では個人のメンツくらい受け流す大らかさがほしい。

メンツをつぶされたとしても、自分が思うほど周りは気にしていない。しかも、個人のメンツのことなど周りもそんなに覚えていない。相手に信用や実績までつぶされてしまうなど実利に直結する場合は問題だが、そうでない場合はさほど気にすることはない。

メンツをつぶされたことで感情的になり怒って戦うメリットは何か?

戦って相手をさらに不快にさせ、メンツ以上のものをつぶされる可能性はないのか?

ここは受け流して、〝味方にする〟とまではいかなくとも、相手をうまく利用できる可能性はないのか?

こういう計算をすればたいていの場合、メンツくらいで苛立つことが無駄に思えてくるだろう。

「生意気は元気な証」だなんて思うな

自分に刃向かってきた奴を快く迎え入れる。昔の青春ドラマでよくあった話だ。しかし私が知る限り、自分に刃向かってきた人間を、その理由がどうあれ、受け止めて評価するようなことはまずない。若ければ、生意気なほど「あいつは元気があっていい！」という意見も聞くが、そんな評価にだまされてはいけない。これは多くの場合、自分の度量の広さを見せようとして先輩が言うことだが、実のところ、生意気な人間が好きな人は、限りなく少ないと思う。たいていの人は従順そうな人間が好きなのだ。自分が部下を持つ立場になればこれが実感できる。

まず自分に刃向かってきた人間のことはほとんどの人が忘れない。しかもあまりいい意味ではなく、ネガティブな印象を持ったまま執念深く覚えている。

私は国政選挙で当選するまで、のちに同僚となる議員たちに胸を借りるつもりで向かっていった。そして3度も敗れた。戦った人たちは、社会的にも永田町でも評価の高い政治家であった。「皆人格者だから、おおらかな気持ちで胸を貸してくれたのだろう。私は彼らから嫌われていない」と甘い幻想を持っていたが、現実は違った。

彼らは私への恨みを忘れていなかった。それに私は驚いたが、先輩たちに聞くと「彼らも人間。いや特に政治家だから、自分に刃向かってきた奴はずっと許さない。そんなものだ」と言われた。

戦いを挑んできた人間を「たいした奴だ」と受け入れてくれるような人間はいないと思ったほうがいい。

喧嘩して友情が深まるのはドラマや漫画の世界だけだ。「金持ち喧嘩せず」というように、成功者は時間をかけ知恵を使って、戦わずして勝つやり方を選ぶ。相手がやられたと気付かないように、相手の力をうまく使いながら自分の欲しいものを手に入れていく。正面切って戦って、返り血を浴びたり、恨みを買ったりしないように、静かに確実に目的に近づけばいいのだ。

耐えて耐えて、耐え抜いた人が勝つ

人生で一番大事な素養を挙げろと言われたら私は間違いなく「忍耐力」を挙げる。今までの私に「それがあれば……」というシーンが多々あるからだ。裏を返せば、忍耐力がなくて、「やらなくていい失敗を繰り返してきた」からだ。とにかく石の上にも三年なのだ。

忍耐といってもずっと我慢しろというわけではない。即答、即応してはいけないといっているのであり、まず嫌なことがあっても、グッと受け止めることに忍耐力を使うべきである。

成熟したビジネスパーソンになるためには、リアクションを起こす前にじっくり受け止めて考えるようにすべきだ。まず何よりもこの癖をつけよう。

学生時代はリアクションやアドリブが面白くて早いほうが人気者になれるのかもしれない。しかし、そんなことをしていると百戦錬磨《ひゃくせんれんま》のアホに生殺与奪《せいさつよだつ》を握られるきっかけになることがある。実社会に出たら、リアクションが早すぎる人間は未熟だと思われる。要は、じっくり考えていない、と見なされるのだ。

例えば、リアクション重視になりがちなツイッターでも、じっくり考えてから書き込むようにしよう。何か言われたら「何でですか？」「違うでしょ？」「その通りです」などとすぐにリアクションするのではなく、相手の意見や質問を、それがどんなにいやらしかろうが、グッと受け止めてまず考えてみよう。

「何でこの人、こんなこと言うのだろう？」「多分理由はこれか？」

現実社会ではすぐにリアクションを起こしてしまいがちなときに戦いは始まってしまい、相手にこちらの嫌いオーラも伝わり、引き返せないところまで行ってしまう。なかなか難しいかもしれないが、できたら笑顔で「なるほど」くらいの言葉を発して、自分を冷静にして、相手の言葉を受け止めよう。どうしても我慢できそうになかったら、さわやかで自然な笑顔を残して、「トイレ行ってきます」「ちょっと一服してきます」と礼儀正しくもっともらしく伝えて、その場を離れよう。

衝突の可能性がある場合ほど、素早くその場を離れたほうがいい。高等戦術になるが、その場を離れたことが、何らかの意思表示であると相手に伝えることになる。つまり相手に「こいつダメージ受けたな」と思わせておけばいいのだ。

某世界チャンピオンから聞いた話だが、ボクシングでダメージを受けた選手ほど「平気だよ！」「効いてねーよ」と笑みを浮かべることがあるが、あれはよくないという。強がった、ひきつった不自然な笑みは、相手には効いているサインになり、笑っていることで相手をさらに燃えさせ、それこそ倍返しを食らうという。

効いていなくても効いているくらいに感じさせ、相手を油断させ、相手を調子に乗らせてエネルギーを消耗させ、そこから反撃するのがよりスマートだ。伝説のボクサー、モハメド・アリが最大のライバルであったジョージ・フォアマンに対して使った戦術である。彼は、ずっとやられたフリをしてフォアマンを調子づかせ、疲れさせ、最後の最後で全力で反撃して相手を驚かせ、狼狽《ろうばい》させながらＫＯで仕留めたのである。

もしどうしてもコントロールできないくらいの怒りを感じたら、こちらのリアクションが悟られる前に、相手にやられたフリをしながら、冷静にその場を立ち去り、衝突や嫌いオーラを悟られるのを避けることだ。

消えない怒りの解きほぐし方

まずは相手の動機を探る

どうしても消えない怒りを抱えたときはどうすればいいのだろうか？

怒りのマネジメントは人それぞれだと思うが、私の場合は、まず相手の動機を探る。前述のごとく、反射的な行動、つまり早めのリアクションは常によくない。まず、相手が「なぜ自分を怒らせるような行為をするのか？」その理由をゆっくりと考える。こんなふうに考えている間に自分が静かに落ち着いていく。そして理由がわかれば対策が見えてくる。

相手から嫌なことをされた場合、その動機を探るのが一番だが、この思考訓練はいろんなケースで役に立つ。あとで詳述するが「相手の気持ちを読むことが、人生を生き抜く最重要なコツ」だといっていいくらいだ。脳を使って何かに没頭する行為は自分を落ち着かせてくれる。反射的に幼稚な行動をとってしまうのを防いでくれる。

瞬時に反応してはいけない

それでも怒りがおさまらなければ、私自身は、ゆっくりと信管を抜くのではなく、人里離れた安全なところで爆発させることにしている。いろいろやったが、それが一番ストレスが少なく怒りを消す。

例えば、書くこと。いやらしい仕打ちを受けたあとの怒りのメールなど、感情に任せて書いてもいいと思う。しかし、間違っても送信してはいけない。私もあまりにも腹の立つ対応やメールをもらったときは、速攻で怒りのメールを書く。しかし、それは冷静に保存しておく。私はこれまでメールやツイッターで怒りの速攻反撃をして多くの悔しい失敗をしてきて、簡単に送信しない鍛錬を積み重ねているので、それができる。

私の悪いところであり、いいところでもあるかもしれないが、反応が遅いという特徴がある。実はひどいことをされていたのだが、だいぶ経ってからそれに気づくという特性だ。この反応の遅さが、忍耐力の代わりをして補ってくれたのだが、所詮忍耐力とは違う。時間差で烈火のごとく怒り狂ったこともあった。

そのときによく使っていたのが、風呂場に防水テレビを持ち込んで大音量で流すという方法だ。そのあと、相手を叩きのめすイメージで思った言葉を徹底的に口に出した。完全にマナー違反の放送禁止用語だらけだが、それだけですっきりした。

私のいう忍耐力とは即答するなということで、いつまでもどこまでも溜めておけということではない。それは精神衛生上とてもよくない。相手の前では表情も変えず、受け止めて、どこかで思い切り爆発させて処理しておいたほうがいい。爆発させるときは関係者に絶対知られない形で処理すべきだ。同僚や先輩と飲みに行ったときに、彼らの前で口に出すのは危険だ。

一度こんなことがあった。政治家時代、ある先輩に執拗に冷遇されたことがあった。おまけに私の陰口を至るところで流されていた。これも、だいぶあとで気づいたのだが、気づいたときには烈火のごとく怒った。先輩たちが私をなだめようと料亭に誘ってくれたのだが、酒も入って先輩たちも誘導尋問のように「あいつひどいよな〜」とか言ってくるので、そのあとは私の罵詈雑言《ばりぞうごん》のオンパレード。

その場はすっきりしたが、あとでその先輩たちがどういう意図か知らないが、私のその様子を〝ご注進〟していたらしい。まあ政界では「悪口には羽が生えていて相手のところに飛んでいく」と言われ、絶対公言してはいけないのだが、その教えをまだ知らなかった私はそこで初めて知ることになった。

怒りのマネジメントの手法としては、口にしたり、書いたりすることで、すっきりする場合が多いからそうしてしまえばいい。ただし、絶対に相手に伝わらないように発言もメールもコントロールするという条件付きでのことだ。

「どうしても許せない行為は、デスノートに書いている」という知人もいる。許せない行為と罵詈雑言をノートに書き込んでいつか復讐を、ということだ。まあ、復讐はおすすめしないが、書いて気がすむならこれもありかもしれない。絶対誰にも見られないアナログ情報として、きちんと保管することが前提だが。

とにかく、カッとした怒りは瞬時に液体窒素で凍らせるように閉じ込めて、余裕を持ってにこりと笑い、どこか遠くへ持っていって爆発させよう。そのあと、すっきりした頭で、冷静にやるべきことを設計しよう。

カッときたら幽体離脱

私の先輩から聞いた素晴らしいアドバイスを披露しよう。

私からは想像できないが、その方曰くもともと短気だったという。正義感とエネルギーにもあふれ、特に力のある人間によく食ってかかっていたそうだ。「俺には失うものがないから何も怖くないんだよ」と常におっしゃっていた。

「弱きを助け、強きをくじく」を地で行く人で、それこそ「任侠映画から出てきたような人だった」と別の先輩が言っていた。だから後輩の面倒見は政治の世界では信じられないくらい、いい。私に限らず多くの後輩の世話を引き受け解決して、そして特筆すべきは、それを絶対に自分の手柄にしなかった点だ。一緒にやらせていただいた仕事も私の手柄として吹聴《ふいちょう》してくれた。

この世は任侠映画のようにはできていないことに気付いたこの人が使い始めたテクニッ

クは、幽体離脱《ゆうたいりだつ》。カッとしたときほど、自分の肉体を離れて自分を上から見る自分を強く意識するようにしているという。相手がいて、自分がいて、衝突しようとしている構図を、すっと霊魂のように自分から抜け出して、それこそ3Dで上から時間を止めてみるのだという。

そこで初めて「我に返れるのだ」という。「こりゃまずい。相手に嫌われる」「もう戦いは始まりそう」ということを瞬時に理解して、その姿を上から見て冷静になれるのだ。

怒りが込みあげてきたときに、自分を上から3D映像で客観的に観察するという手法は、自分のものにするのに時間はかかるが、できるようになったら非常に有効だ。常に練習していると自然とできるようになっていく。

しかも、この技は身につけておいたほうが何かと便利だ。この方法は何も「無駄な戦闘防止」に用途が限られるわけではない。ここ一発の勝負のときすべてに使えるのだ。

例えば、大事なプレゼンや講演をしているとき、〝自分の前に座っている聴き手〟の視点を持てるようになる。聴衆の立場で話ができるようになるのだ。そうなると、緊張してしまうこともなく、どこがポイントか理解しながら、そこに情熱を込めたり、スピードをコントロールしたりしながら、いい話ができるようになる。大事な友人や交際相手との勝負のときも、幽体離脱を使うと、冷静に相手の立場に立って自分を見ながら自分をコントロールできる。

これができるようになるには訓練が必要だが、人生をストレスなく楽しく謳歌するためには最高の武器になるのでおすすめしたい。自分を見るもう一つの目、これを第三の目、という人もいる。第三の目を持とう。

仕事に敵という発想はいらない

対人関係を捉えるときに知っておいてほしいのは、まず「敵」という発想はいらないということだ。誰かを「敵」と思っていいのはスポーツをやるときくらいだと思う。実社会で敵なんか作らないほうがいいに決まっている。

私も今、敵なんていない。全員が味方ではないし、ライバルはいるが、敵ではない。ライバルも味方にできるし、そうすればいい。

敵とは排除する発想からきているもので、そもそも心が狭いし、そうした相手を作っていいことは一つもない。親分肌で自分のグループを作りたい縄張り争いが好きな人が、自分のグループの結束感を強めるために敵を必要とし、わざわざ作る場合があるが、変化の激しい時代には、固定的な付き合いを深くするより、誰とでも柔軟に付き合っておくのがベターだ。

固定的で閉鎖的な付き合いより、広く誰とでも付き合うことで、風見鶏《かざみどり》とか八方美人とか言われるかもしれないが、勝手に言わせておけばいい。そのほうがより正しいネットワーキングの仕方だと思うので名誉に思おう。

敵とか苦手などと思っている人がいたら、そのほとんどは人生経験の不足が招いた勝手なイメージからくる「食わず嫌い」のようなものだ。人生経験が増えれば人の好みも変わるし、人に対する深い理解も増してくる。人に対する寛容度も経験と比例して増えていく。

敵と思ってしまうほど苦手意識を感じる相手でも、飛び込んで付き合ってみれば、意外とそれほど嫌いにはなれない相手だったりする。そもそも、たった一度の貴重な人生を謳歌したいときに、積極的に人を嫌いになる理由はない。無理して好きにならなくてもいいが、わざわざ嫌いになって敵と思う必要もないのだ。

きまずいときこそ、無理にでも話しかける

もし、あなたに自分の目的達成のためにどうしても味方にしたい人物がいるとしよう。しかし、その人がどうしても折り合いのつかない人物だったら、どうすべきか？

究極の手段だが、その相手に「その人から受けている嫌な行為への対処方法」について相談するのが効果的だ。つまり相手がやっている行為を、ほかの人がやっている嫌がらせだとして、相手にその嫌がらせへの対処方法を聞きに行くのだ。

これはかなりの高等戦術である。自分をいやらしく無視したり、無理難題を押し付けたり、仲間外れにしたりする人がいたら、そのアホに「私を無視したり、仲間外れにしたり、無理難題を押し付ける人がいるんです」と相談に行ってみるといい。

これはかなり効く。ドキッとしながらあなたの相談に親身になって答えようとして、その後も、あなたに出した答えの期待に添うように、行動を修正してくれる可能性が高い。

あくまで、「これお前のことだよ」と暗にほのめかすことなく、真摯《しんし》に思いつめた感じで相談に行くのがいい。陰湿なアホでも、さすがに「それは俺のことか⁉」と思うに違いない。

実はこれは私が自分の体験から学んだ話で、このアドバイスをくれたのは某大物政治家だ。この実例の詳細はあまりリアルに描けないが、前記の戦略は当時の私の置かれた状況で役立った。こちらの戦略がばれないように気をつけたが、そもそもこういうことをしないといけないくらい切羽つまっていたということだ。

苦手な相手の嫌な行為をやめさせて味方にしたいが、通常の方法では切り抜けられないようなとき、この方法はおすすめだ。ポイントは、険悪になりそうなときほど何らかの形でコミュニケーションを取るべきだということ。

最悪なのは、苦手意識を持つあまりに、必要なときにもかかわらず、一切コミュニケーションを取ろうとしないことだ。

今の日中関係が典型的な例だ。最悪の時期にコミュニケーションを断つことほど危険なことはない。険悪なときに話さないと、あるのはお互いに対する最悪のシナリオを前提とする深読みしかない。人間関係でも国家関係でもそうだが、最悪のシナリオを前提とする相手への深読みが始まれば、事態はエスカレートする一方となる可能性が高い。

最近では、安倍晋三《あべしんぞう》首相も自民党の高村正彦《こうむらまさひこ》副総裁らを特使として中国とのパイプ再構築に乗り出し、中国における世襲幹部、いわゆる太子党《たいしとう》人脈を使ってコミュニケーションを取り始めたことは評価に値する。

２０１４年3月のウクライナを巡っての危機のときにも、米露は対立関係にありながらも、トップ同士のコミュニケーションは直接つながっていた。プーチンとオバマは、お互いがお互いの政治的立場から合意に至らないことが明確でも、普段より密に対話を続けていたのだ。また、6月にノルマンディー上陸作戦70周年記念式典出席のためフランスを訪れたオバマとプーチンは、ウクライナ情勢の緊張緩和に向けて、短時間ながら個別に会談していた。

彼らは、表向きの議論の内容に変化がなくても、お互いの声色《こわいろ》や話すトーンでコミュニケーションを取っている。相手はどれくらい本気で、どれくらいまでだったら譲る気があるのか？　全くないのか？　結果としてはプーチンがオバマの弱気を読み取り、行動を起こしてしまっているが、幸いにもコミュニケーション不足による過剰な深読みという負のループに突入することは避けられている。そのため、世界が恐れるような最悪の衝突までは今のところなっていない。

今後も予断を許さないが、こういう危機だからこそ、オバマに限らず、欧米諸国はさまざまなチャンネルでロシアとコミュニケーションを取り続けている。

こうした行動をとることで、過剰な深読み合戦を避けることができる。過剰な深読み合戦のループに入ってしまえば、相手の悪意のない何気ない行動さえも〝悪意ある行為〟と深読みしてしまいがちだ。そうなると悪化した関係は悪い方向にエスカレートしてしまい、最後は衝突してしまいかねない。

嫌いな人と険悪になりつつあるときこそ、無理して親しく話す必要はないが、頻繁にコミュニケーションを取り、それ以上関係を悪化させないことだ。最悪、顔を合わせておくことだ。無理に言葉を発しなくても、敵対しているわけではないという表情やしぐさは見せておいたほうがいい。顔も見たくないという気持ちもわかるが、顔も見なければ悪いほうへの深読みは始まってしまう。

アップサイドのある人だけに絡め

戦うべき相手はアップサイドがある、つまり相手にすることでこちらも得るものがある人間だけに絞ろう。怒りをぶつける対象も選ぶべきなのだ。

どう絡んでもダウンサイド（損をする）しかないという、自分にとって意義のない相手から何を仕掛けられても相手にしないことだ。しつこく絡まれたら、思い切って逃げることも選択肢の一つである。

相手にする必要がない人というと、最初に思い出されるのは、ネットで匿名（時に実名だが）の上に、リスペクトもなしで、非常識なほど攻撃的に絡んでくる人たちが挙げられる。議員時代は特にそうだったが、今でも、ＳＮＳで執拗に絡んでくる人がいる。理由は定かではないが、基本的に時間とエネルギーを持て余しているのだろう。もったいない。あれだけの時間とエネルギーをもっと生産的に投入すればいいのにと、こちらが思わずおせっかいを焼いてしまいそうになる。

単に感情的になっている人もいれば、何らかの思惑がある人もいるだろう。絡んでこちらから反応させて、SNS内で目立つことを狙ったり、私の行動や言論の揚げ足を取ったりして「首を取った」つもりになっている人もいるようだ。

かつて、あまりにも理不尽でしつこく無礼なことを言ってくるし、許せない表現があったりしたので、私はムキになってこういう人たちに絡み返していたことがあった。しかし、それは大きな誤りであって、そこから多くを学んだ私は、今はそういう連中は徹底して〝相手をしてあげない〟ことにしている。あるいは気味が悪いくらい絡んでくる人からは逃げることにしている。

そういう人を相手にしてもこちらは得るものがほとんどない。こちらが言い返せば、言い返している様子がネット上で露呈され、どんなに論理的に反論しても、大人げなく暇な印象を与えてしまう。感情的な表現が少しでもあろうものなら、器の小ささの象徴になってしまう。

相手はこちらを引きずり出したことで得意になるし、揚げ足を取りたかったら、いくらでも感情的になって、その上屁理屈を押し通せるので、大人げない事態が長引くことになってしまう。大切な時間を使って絡んでもこちらは得るものがなく、時間と評判を失うだけである。

昔、こちら側の反論を愉快犯的な有名ブロガーが取り上げたとき、友人が「あんなに反応するなよ」と心配してくれたことがあった。あまりにもあることないこと失礼な誹謗中《ひぼうちゅう》傷《しょう》をしてきた輩《やから》なので、弁護士に相談したら「これで反論したり、事を大きくしたら先方は願ったりかなったりです。無視しても、あとに残るのは、すっきりしない田村さんの気持ちくらい。逆にすっきりするというリターンだけで、行動を起こしたら、それこそ戦略的には大損ですよ」と言われた。

また、「あまりにしつこく絡む人は、本人が気づいていないかもしれませんが、田村さんのことが好きな場合もあるのです。好意を寄せていて、その表現が下手なので攻撃している場合もあるのです。そういう人に反撃したら、それは感情的にもつれて、さらにしつこく激しい攻撃を受ける恐れがあります」とのことだった。そういう意味でも「早く忘れてあきらめてもらうために、相手にしないこと」だそうだ。

私は経験がないが、電車の中や夜の道端でも絡んできたりする人がいるらしい。多少景気はよくなったのかもしれないが、基本的には人口減少の日本には閉塞感が漂うので、精神状態が多少おかしくなったり、イライラしたり切れやすくなったりする人がいるのかもしれない。将来への不安から自暴自棄になっている人もいるかもしれないので、正義感や使命感から、こういう人間を成敗しようと考えたり、お説教してやろうと思うのは危険だ。

絡まれて得はない。時間とエネルギーが無駄である上に、損しかないと思ったら、こういう人たちからは一目散に逃げるのだ。一切かかわらず関心を持たないのが一番。反論も反撃も厳禁だ。とにかく避ける。そして場合によっては逃げる。好き勝手に言わせておけばいい。

絡む前に、冷静になり、戦う対象はアップサイドがありそうな人たちだけにしよう。頭に来るべき意義もない人は上手に避け、プライドも正義感もおせっかいな心も捨てて一目散に逃げよう。そして、できるだけ早く相手に忘れてもらおう。

それでも一度はアホと戦え！

この本で私が言いたいのは、無駄な戦いは華麗に避けようということだ。ムキになってアホを正面から戦う対象として相手にするのではなく、アホの力を自分の有利なように上手に使い倒して、それをもって倍返しとせよ、というのが私のメッセージだ。しかし、長い人生、たった一度の人生、華麗にかわし続けるだけではダメなときもある。人生、いつかは正々堂々と正面から勝負しないといけないときが来るのだ。

アホをかわすのは大事で、戦うべきは戦う意義ある相手である。だが、かわすことばかり覚えていては、いざというときに戦い方がわからなくなる。戦うことも覚えたほうがいい。

加えて、人間、痛い目に遭ってみないと肝に銘じないものである。アホと戦うことが、いかに意味がなく無駄であり、できるだけ避けるべきであるという実感も、大人になって最初からアホと戦うのを避けていてはつかめない。

アホと戦って、たとえ表面的にでも論破し、恥をかかせすっきりしたとしても、それがかえって相手に強烈な反撃に出る動機を与え、返り討ちに遭うこともある。その結果、気分的にすっきりすることよりもはるかに大事な自分の目的が達成できないという事態に陥ることになれば、あなたは悔やんでも悔やみ切れないだろう。しかし、たとえ傷を負ったとしても傷が浅いうちに、こういう経験をしておくことは悪くはないと思う。ある程度年を取ってからでは、こんなミスは致命的になるので、まだ「若気の至り」が許されるうちに経験として〝アホと戦う〟のはありだと思う。

いつかは来る勝負の時に備える意味でも、アホと戦う虚しさを実感する意味でも、一度はアホと戦っておいたほうがいい。

アホと戦わずに華麗にスルーする意義とその方法論を説く本が、ここで自己矛盾を招く提案をすることになってしまうが、人生は白か黒かでできあがっているものではないので了解していただきたい。世の中は得てして、「あれかこれか」ではなく、「あれもこれも」が正解であったりする。「戦わないことはとても大事」であり、「時として戦うことに意義がある」のである。

傷が浅いであろううちにアホと思い切り戦ってみてほしい。気分的にすっきりすることはあるかもしれないが、間違いなく大量のエネルギーと時間を浪費しながら自分を窮地に陥れてしまうので、一生忘れられない悔しい学びとなるだろう。いつかは戦う価値のある相手と戦うことがあるだろうから、それへの準備運動と割り切ってもらいたい。

第3章

どんな強者でも味方にする〝人たらし〟の技術

人生で一番大切な能力

本当に頭がいい人とは？

私は今までの人生で、数多くの「これはかなわないな」と思う頭脳の持ち主を見てきた。日本人でも外国人でも恐ろしいくらい頭が切れる人間に出会う人生だった。

留学中は、ロシア科学アカデミーの天才たちと机を並べ経済学を学んだ。いわゆるロケットサイエンティストがウォール街に流れてくるはしりの連中だった。ソ連崩壊で予算が削られ、行き場を失った優秀な科学者たちがアメリカの金融界で新たな革命を起こすべく流れ込んできた場所が、名門大学の経済学大学院だった。彼らはエール大学という世界の名門中の名門の数理経済学者もたじたじになるほどの数学の力を持っている。

政治家になってからは、日本最高のシンクタンクといわれる霞が関の連中と一緒に仕事をした。ずっと与党にいたので、中枢にいる官僚たちと経済や財政政策について議論を重ねてきた。彼らが作る資料もすごいが、政策に対する造詣《ぞうけい》はもちろん、芸術や文学まで多彩な才能を垣間見せてくれ、本当に驚いた。

アメリカで最高峰といわれるシンクタンク、ランド研究所は過去日本が国家として獲得したノーベル賞総数の倍近い29名のノーベル賞受賞者を抱える知の中心だが、私と同じフロアにも数名のノーベル賞受賞者がいた。彼らと彼らの研究成果やそれを国家政策に落とし込む作業について、ハンバーガーやコーラ片手にカフェテリアで話し込んだが、本当に切れ者たちだった。

経済・財政そして金融担当の政務官として政府入りしたとき、私は日本版政府系ファンド設立を目指して議員連盟を立ち上げ、自民党の国家戦略本部に検討機関まで作ってもらった。この関係で世界の名だたるヘッジファンドやプライベートエクイティファンドのオーナーたちや国家ファンドのトップと議論を繰り返した。兆円単位のお金を動かす人物の持つ情報量や分析力は並大抵のものではなかった。

東京大学が全学の総力を挙げて次世代リーダー育成のために立ち上げたエグゼクティ

ブ・マネジメント・プログラム（東大ＥＭＰ）に入ったときは、宇宙科学、医療、経済、哲学、宗教、芸術等の分野の最高の叡智《えいち》と分野の壁を越えて交流し、その知識の蓄積に感銘を受けながら議論をして、学際的な課題設定能力を磨いていった。

ハーバードやエールでフェローをしているときも、それら世界最高峰の大学が持つ各分野の叡智と触れ合える多様な機会をいただいた。ノーベル賞やピュリツァー賞の受賞者や、いろんな国の国家元首や元国家元首たちと意見を交わす機会も与えてもらった。

国内外の多様な国際会議にもたくさん招待してもらい、学者から経営者まで、大事を成す方々をこの目で見て、大いに刺激を受けてきた。

こういう経験から確実に言えるのは、頭のいい人は世の中に掃《は》いて捨てるほどたくさんいるということだ。頭がいいことにはそれなりの価値があるが、絶対的な価値ではない。真の叡智、他者から抜きん出るための人生最高価値は、単なる頭の回転ではない。記憶力や発想力だけではないのだ。

事を成すために、経営者だろうが、学者だろうが、政治家だろうが、行政官だろうが、必要な能力がある。それは「相手の気持ちを見抜く力」だ。この能力を持つ人が一番賢い人であり、この力さえあれば、あなたの人生は「鬼に金棒」である。

エリートなのに挫折する理由

アイデアや熱い想いは世界の中にあふれている。重要なのはそれらを実行して世の中にインパクトを与えることだ。しかし、いくら賢くても、一人ではたいしたことは実行できない。いろんな人を巻き込み、彼らに本気で動いてもらう仕組みを考えて実行しないと、アイデアや想いは絵にかいた餅で終わってしまうのだ。

そのために必要なのは、相手の気持ちを理解する能力だ。これがたいていの頭のいい人に欠けている気がする。正確に言うと、頭のいい人ほどこの能力がないとさえ思う。

よく考えてみればそれはそうだ。自分に自信があり、自己愛が強くて、自分の発想だけで突っ走ってきたから天才と言われるのだろう。しかし、一歩進んでその天才的なアイデアを実現するためには、自分の気持ちは置いておいて、相手の気持ちを理解しないといけないのだ。

相手の気持ちを動かすためには、相手の気持ちを知らないといけない。知るというのは理解するということだ。これまで自分と向き合うことを説いてきたが、ここで少しギアチエンジが必要だ。人生は単純なようで複雑なのだ。

この本のタイトルである「アホと戦わない」ことを実現するためにも、相手の気持ちを見抜くことは必要不可欠である。他者を怒らせずに、戦わずに、味方にしてその力を使い倒すためには、相手の気持ちを理解する力をつけないといけないのだ。

他人の気持ちがわからずに、その能力を十分に活かせなかったり、途中で挫折したり、消えてしまうエリートをたくさん見てきた。どんなに鋭い分析力を持っていようとも、世の中にインパクトを与えたいなら、まずは力を持つ人の気持ちを理解し、巻き込み、動かすことが必要になる。

対人関係に関する行動では、どんなときでも、まず相手の気持ちを考えることから始めるのだ。そうすれば、アホと戦う必要はなくなる。自分の目的を強く思うのと同じくらい相手の気持ちを読むことは大事である。この能力を訓練して身につければ、アホをも自分の目的のために動かせるようになる。

相手の気持ちを見抜くためのちょっとしたコツ

アホであろうがなかろうが、自分の生殺与奪を握る重要な人物と接するときは、何事も準備がすべてである。悩む前にできる限りの準備をしよう。それが苦手な人物であればあるほど、念入りにリサーチすること。自分のためだと思って、先入観を排除し無機的に粛々《しゅくしゅく》とリサーチ対象物として調べていくのだ。

会社での評判や実績、出身地、家族構成、職歴、結婚・離婚から子供の有無まで貴重な情報だ。私の経験で言わせてもらえば、政治家の先輩の場合、出身地、家族構成、家系、職歴、派閥や族関係を徹底的に調べた。その結果、相手の思考や行動の癖が見えるようになってくる。

秘書上がりはたいてい時間や作法に細かく、〝先生〟を陰で支えて頭を下げていた立場から〝先生〟になるので、大人でしたたかで動きにスキがない。政界の人間関係や役人の評判にも詳しく頼りになる。地方議員上がりは地方議会を制してきた連中なので、情に厚く親分肌で、年功の序列にうるさい。寝技もできるツワモノだ。政策や数字のような細かいものより人間関係を重視する人が多い。

官僚上がりは頭がよくて数字に強く、政策にも官僚組織にも当たり前だが明るい。だが情が薄かったり、面倒見が悪かったりする。

世襲の議員は苦労が少ないのでその分いい人が多い。政界の人間関係を2世代前くらいから親に叩き込まれているので非常に詳しい。政治の歴史を親から学び、官僚や有力者も親から引き継いでいるので、顔も広い。ただ、秘書上がりの議員のような強さがないのがいいところでもあり、課題かもしれない。金銭感覚も大物っぽい。

落選経験の有無も大事。ただ、落選経験があればよくて、なければ悪い、とか簡単なものではない。何事もそうだが、そういう経験は受け止め方によってプラスにもマイナスにもなる。落選して人相がよくなる人もいれば、苦労を重ねてさらに人相が悪くなる人もいる。落選をプラスに活かしている人は他人の気持ちがわかって、忍耐力がついて、さらに深みのある人物になっている。しかし、失敗としか思わない人は他人のせいにして人相が悪くなり、疑い深くなる。

これは政治の世界の例だが、要はその人のたどってきた歴史が人格になっているということ。どんな家庭に生まれ、どういう仕事をしてきて、今のその人があるのか？　好き嫌いになる前にできるだけリサーチしておくことをおすすめする。よく言う血液型や星座もいいが、それだけで終わらず、出身地や兄弟姉妹の数や親の仕事や学歴など幅広く集めよう。

こういう自分なりの分析ができるようになれば、新たに人に出会った場合、それを占い師のように予想を伝えて正否を確かめるのもいい実地訓練になる。私は初対面の人との食事会などで、気さくな雰囲気で盛り上がった頃に「ひょっとして次女ですか？」「お父様は自営業では？」「大学では美術専攻とか？」などとチャレンジしてみる。今では結構当たるようになってきた。これができると円滑な対処方法も選べるので人間関係がうまくいく可能性が高い。

また、先にも軽く触れたが、人相はとても大事。顔は最大の情報発信源であり、情報の宝庫である。目に宿る精気や左右の表情のバランス（右と左の人相が極端に違う人は裏表が激しい傾向があると言われる）、笑顔の様子や目も笑っているかなど、顔はその人の心が最も現れやすい場所なのだ。考えていることと表情筋や目の動きは連動する。心の奥底通りに目や口の位置が固まって人相になるのだ。失礼にならない範囲で人相やオーラをよく観察しよう。

まとめると、まずは相手を徹底的にリサーチして、相手がどういう経歴つまり育ちであるかを知って、その人の思考パターンを探り、仮説を立て、何度か会ううちに、自分なりにシミュレーションしてみること。相手の思考パターンが浮かび上がれば、あとはそれを今のシチュエーションにぶち込んでみるだけだ。そうすれば、相手がなぜ今のような行動をとっていて、次に状況が変わったらどう行動を変えてくるか想定できるようになるだろう。

そして、それが想定できれば、次に最大の目標である、どうすればあなたの思う通りの行動に導くことができるかが見えてくる。

私も長年時間をかけて一つずつパターンを積み重ねて、いろんな人のケースに対応できるようになってきた。ただ、人間は変わるので相手の情報も常に更新していかないといけない。人間は環境や付き合う人で急に人間性が向上したり劣化したりするので、継続的な判断の更新が必要だ。

人を意のままに動かす技術

理屈よりも感情

「なぜ彼は自分の思い通りに動いてくれないのか」と思い悩む人は多いだろう。

『人を動かす』で有名なのはデール・カーネギーだ。彼の「他人を動かす」3原則をざっくり言えば、

・非難するな
・認めよ
・相手の欲しがるものを理解せよ

というものだ。さすが、人間という動物をよく理解した上でのサジェスチョンだと思う。一番大事なのは、3番目の「相手の欲しがるものを理解する」ことだ。1番、2番は「人を動かす」原則というより、そのためのテクニックだ。いわば「挨拶」に近い、当たり前のスキルであり、言うまでもないことだ。

人間を動かしているのは感情であって、理屈ではない。頭でっかちはロジックで人を説得しようとし、時として高圧的に論理で相手を追いつめてしまう。そこで論破しても、相手は動かない。そういうことをされたことを「馬鹿な屁理屈で、人前で恥をかかされた」と憎しみとともに一生忘れないのがオチだろう。

私はプロデューサーが激しく対立をあおるテレビの政治討論番組に出るたびに、何のために議論しているのだろうと思った。もちろん、数字を取るためだが、皆途中から演出ではなく相手を論破しようとムキになっていく。

時としてマジ切れして、敵を増やし、視聴者には未成熟なところを見せてしまう同僚もいたが、彼にはよく声がかかるようになった。彼自身はテレビで知名度が高められると思っていたようだが、私は反対に、その人の政治家としてのブランドには傷がつくのではないかと思った。対する私は挑発的な討論には決してくみせず、他人の話にカットインもせず、礼儀正しく最後まで聞いてから、相手の賛同を得られるように紳士的に相手の共通点を探って合意を形成するようなやりとりを試みたが、徐々に出番は減っていった。

政治家として物事を動かしたかったら、同じ党の反対者や野党の議員とも、テレビカメラの前で派手に〝論破してやる〟とやり合うのではなく、相手を非難せず、恥をかかせず、リスペクトしながら共通点を見つけていくべきだと思っていた。そのためには、政治を討論ショーとしてしか捉えられない視聴率至上主義のテレビ局の片棒を担ぐのはまずいと思った。

どんな相手にでもリスペクトを

アホ相手でも全く同じで、苦手な人間にはさらに丁寧に接するべきだ。絶対に批判したり、嫌いオーラを出したりしてはいけない。そしてリスペクトしているところを強調する。最後に相手の欲するものを相手の立場で考えて見つけ、それと自分の利害を共通のものとする。

例えば、ある法案や政策への反対や賛成を求めたい場合は、相手の立場が鮮明に反対である場合でも、決まっていない場合でも、やり方は同じだ。とにかく、相手の欲しいものを見つけるのである。彼が地元で必要とする予算獲得の手助けをしてあげる。彼の資金力を増やせるような支援者を紹介してあげる。大きな票を持つ全国規模の組織や企業と手を組める機会を提供する。彼のライフワークを物心ともに応援してあげる。

そして、彼がこちらの実現したい法案や政策にどんなに悪口を言っても、彼の耳に入る形で批判しない。「壁に耳あり障子《しょうじ》に目あり」というが、情報とはそれ自体に手足がついていて、自然と一番聞かれたくない相手に伝わるものである。それよりも心を込めて、その法案や政策をリスペクトしてその思いを伝えるのだ。

自分の想いを自由闊達《かったつ》に主張する政治家もいるが、本当に事を成したいなら、こういう態度は子供っぽい。人それぞれいろんな立場があるのに、自由にしゃべっていては必ず要らぬところで敵を作ってしまい、応援団を結成できない。政治家でなくてもそうだ。いろんな人の協力がないと自分の想いは実現できなくなる。だとしたら、いろんな環境の下、多様な考えがあるのだから安易に自分の想いばかり主張し追求すべきではない。

そもそも「他人を動かす」という発想が上から目線であり、少しずるい感じがする。まずやるべきは、動かしたい相手の立場に立って、相手の最大のニーズやウォンツを想像することだ。ギブアンドテイクというように、まずはこちらが相手を動かすというより、先に相手が欲するものを与えるのだ。できたら〝共通の利害〟を見つけ、こちらがやりたいことが相手の利益にもなれば鬼に金棒だ。

共通の利害を見つけよ。そして、相手に利益を与えよ。決して非難・批判するな。常に相手へのリスペクトを持ちそれを相手に伝えよ！

腰の低い人ほどデキる人が多いのはなぜか?

腰を高くしていいことなど一つもない。腰を高くするのはキャンキャン吠《ほ》える子犬と同じで、気が小さいのを隠そうとする見栄っ張りな人間であり、そういう人が成功できる可能性は少ない。人間は感情の動物である。自分の気を済ませるために相手を不快にさせてしまえば、敵は増やしても、仲間はできない。そんな状態で成功できるだろうか?

腰を低くしてフレンドリーにすれば敵はできないし、応援者は増える可能性が高い。もちろん、生意気な態度でも成功する経営者や政治家やスポーツ選手はいるが、彼らがもっと腰が低ければさらにどれだけ成功できただろうか?

強気のキャラで成功してきた人もいるので一概には言えないが、生意気さを前面に出して成功しても、その後長続きしない場合が多いように思う。一度でも挫折したときに本気で応援してくれるサポーターが少ないのだ。今さらキャラを変えるわけにいかないと、また強気に言ってしまえば悪循環に陥っていく。

成功して腰が低くなる人もいる。本当の成功者になれば、腰が低いことの意義が自然とわかってくるからだ。「実るほど頭《こうべ》を垂れる稲穂かな」ということだろう。それは成功する人は戦略的で頭がいいからだ。成功すれば腰を低くしたほうがいいことばかりなのである。権力を握るアホもある意味戦略的で、人を選んで腰を低くしている場合が多い。その反動からか、特定の人間に憂さ晴らしできつく当たったり、人によって態度を変えすぎたりするのは気に障るが。

成功しない人は悔しさや嫉妬の気持ちから自分を大きく見せようと腰を高くする。それは哀れで滑稽である。しかし、すでに成功した人が、腰を高くしたらどうだろう。反感を買うだけだ。

成功していれば、多くの場合、すでにいろんな意味で自分のプライドは満たされている。目立とうとしなくても目立っているし、すでに多くの人が持ち上げてくれているので、ふんぞり返る必要はない。それより、成功者であるのに腰を低くすれば、逆に好感度は高まる一方だ。新たなる支援者が現れ、それが次の成功につながる可能性が高い。

多くの場合、戦略的な人が成功するのだから、そういう人ならば成功すれば当然腰を低くして次の成功の確率も高めようとする。戦略的な人がわざわざ腰を高く、生意気にするわけがない。屈折した人生経験をバネに成功を目指す人も多く、中には生意気な感じの人もいるが、成功するにしたがって彼らも腰を低くしてくる。

ただ、厳しいことを言わせてもらえば、姑息なことと腰が低いこととは違う。腰が低い姿勢が効果を生むには、頑張って結果を出していないと厳しい。結果も出さずして、腰が低いのは当たり前である。むしろ、できなさを補うための腰の低さなら「姑息さ」に見られる。

プロ野球の世界で言えば、フォークボールばかり投げていても打たれることに似ている。速球があって初めて落ちる球が生きる。腰を低くする効果を高めたいなら、仕事で結果を積み重ねなければならない。「あいつ頑張っているのに、腰が低い奴だなあ」となって初めて効果は倍増する。

困っていなくても困った顔をせよ

〝困り顔〟の女性が今の男性には人気があると言われるが、これは人間心理を突いたしたたかなモテ方で、そういう女性は戦略的でさすがだな、と思ってしまう。

困った顔はある意味、最強なのだ。

弱ったときに強気を装い平気な顔をしてしまうことが、やせ我慢を美徳とする日本男児には多いのではなかろうか？　私も困ったときに困った顔をするのがカッコ悪いと思って生きてきた人間だ。それでたくさん損をしたと思う。自分は運がいいので、いつも危機をギリギリのところですり抜けてきているが、この「強がり」がなければもっと楽にピンチをチャンスに変えられていた。

経験上、助けを求めるときはもちろん、困っていなくてもそのような顔ができる人間に成功する人が多い。他人の力を利用するのがうまいのだ。他人の善意にうまく乗っかり、他人を巻き込んでいくのだ。証券会社に勤めていたときのことだが、同期入社の営業マンは、ダントツの成績を独走しながら「全然売れないんですよ。助けてください」と平気な顔でなじみのお客さんを回っていた。ずるいよと思ってしまうくらい、人の扱いが本当にうまい。助けてやらねばという雰囲気を周りに作り出すのが本当に巧みだった。どこでこんなこと習ったのだろうと感心したことを覚えている。

政治家時代、選挙の応援でもそれに近い光景に出くわした。一度も選挙で負けたことがなく、常日頃から徹底的に地元回りをしている先輩の応援をしたときである。奥さんも本人も「このままでは負けてしまいます」と、今にも泣きだしそうな顔で講演会場の支援者一人ひとりと握手。握手した支援者の方が涙ぐんで「よし、私が助けてやる」と顔に書いてあるような表情で応えていた。

彼はメディアの調査でも党の調査でもぶっちぎりで勝つ予測が出ていたが、そうだからこそ陣営に「優勢報道は最後に陣営を緩ませ、危うくなる」「途中経過は関係ない。不在者投票を除いて、まだ誰も私の名前を書いてくれていない」と必死で危機感を醸《かも》し出して、陣営を引き締め、支援者に涙を流さんばかりにしがみついていた。

いつも勝っているこの人が「助けてください」「あと一歩です」「相手の背中が見えてき

ましたが、まだ追い付いていないです」と叫ぶたびに、支援者が本人以上に本気になっていくのが私にも伝わってきた。圧勝報道の中でも支援者に危機感を植え付ける「演技」には鬼気迫るものがあった。

本人からも「陣営が緩みかねないことは言わないでくれ」「危機感を出してくれ」と言われていたが、データを見ていた私は本気で危機感を出すのにかなり苦労した。

彼に比べると私の選挙はなんて子供っぽかったのかと思う。優勢報道が出れば喜び、陣営には勝てると宣言し、陣営も緩んでいた。そしていつも追い上げられ薄氷を踏む思いの結果ばかりだった。

応援団も、強気で「もう勝ったも同然」とか言っている候補者には「じゃあもう俺が助けてやらなくてもいいんだ」「自信満々で可愛くないな」となっていたに違いない。

ここから学べることは、強気な心は奥底にしまって、自信があるからこそ困っている顔をして、相手を自分に巻き込んでいくということだ。

常に勝つための努力を惜しまず怠らず、それでいて平気で困った顔をして頭を下げられる人間ほど怖いものはない。困った顔は実は悪いものでもない。困った人間を助けたくなるのがこれまた人情なのだ。

ただ、困り方の程度が問題である。困りすぎていると「救いようがない」と他人はあきれて去っていく。逆に困る度合いが低すぎると、「それくらい自分で何とかしろよ！ 甘えるな！」と他人は救いの手を差し出さなくなる。ざっくり言えば、その人の実力の1・5倍くらい困っている場合に困った顔をするのがいいと思う。ただし、これも演出次第。前述の本当は困っていないのに困ったフリで選挙に強い先輩の話の例もある。

困り度合いが低すぎず高すぎず、「あいつ一人の力じゃあヤバいな。俺たちが手を貸してやれば難局を乗り越えられるかもしれない」と皆が思うであろう度合いがベストだろう。

そこで強がって「大丈夫」「もう難局は乗り切った」などと調子に乗ってしまうと可愛くない！ 他人はあなたが適度に困っているときに困った顔をするのが見たいのだ。そして、それを助けたいのだ。いつでも「困っています」と苦手な相手にでも言えるのは、重要な技術なのだ。

淡々とこなす者が最後には勝つ

得意淡然、失意泰然

私が最も尊敬するのは家族だが、家族以外で最も尊敬し、学ばせていただいたのは、政界の大先輩たちだ。尊敬する先輩は数あれど、その中でも筆頭は、参議院自民党のドンと言われた大物議員、青木幹雄《みきお》さんだ。当時は多くのことで反発を感じていたが、政界を離れ、客観的に青木さんの教えを振り返ってみるとそうした教えに感謝の気持ちを持つようになっていった。

特に、印象に残っているのは「物事に一喜一憂せずに淡々としている者が最後には勝つ」という教えだ。

青木幹雄さんは、私にとってはいろんな意味で先生なので青木先生と呼ばせてもらう。見事なほどに淡々としている人であった。30代のエネルギーがあり余っているときに議員になった私は、大物とは言われているものの、常に無表情でメディアには答えない青木先生に物足りなさを感じた。

しかし、今ではあの淡々としていて飄々《ひょうひょう》としているところが一番の強さだと思っている。政界を離れた今でも失われることのない青木先生の力の源泉は、この淡々としたところであろう。得意淡然《たんぜん》、失意泰然《たいぜん》という感じなのだ。権力闘争の毎日である政界に生きていれば、いいこともあれば悪いこともある。いいことがあっても平然としていて、逆にショックなことがあっても堂々としているということこそ、「自分を見失わない」ということに通じる。

ちょっとメディアに取り上げられ、バラエティ番組や討論番組に出ていた私を青木先生は快く思っていなかった。「そんなことで目立っても政界での力とは関係ない。いつかメディアに利用されて足をすくわれることになる」と注意された。青木先生はあれだけ有名でもメディアには決して出なかったし、いつも多くのマイクを向けられていたが、それを振り払うようなことはされず、むしろ丁寧な対応ながら何も答えなかった。

あの安定感こそが長期にわたって力を持つ秘訣だと思う。政治家として目立とうとせず、一切メディアにも出ず、決して贅沢《ぜいたく》もしない。飲む酒も秘書の時代から変わっていない。挨拶では無駄な話も自慢もなく、実力者ゆえにあることないこといろんな陰口を言われていたが、私はそんなことで青木先生が顔色を変えたところを見たことがなかった。

細かい政策や日本の目指す方向について話を聞いたことはなかったが、きっとそれは、何を話すからわからない若造を通じて自分の考えがメディアに漏れるのを嫌ったのだろう。それとも時の権力の攻防が決着をつける落としどころこそが、日本の針路であると達観されていたのかもしれない。

「男の嫉妬」は最大の敵

また「男の嫉妬より怖いものはない」ということも学んだ。政界に入るまで「嫉妬」といえば、女性の専売特許かと思っていたが、数字で勝負がつけにくい、権力好きが集まった男性社会である政界こそ、嫉妬社会の代表であったのだ。「この社会で最も嫉妬されやすいのは〝若さ〟だ。若ければチャンスを待てる。待てば嫉妬も緩められる。若くして政治家になった君はそれに気づけ」というようなことを言われたことがある。

それを実感したのは、先輩たちと会食したときである。テレビによく出ているある若手政治家のことが肴《さかな》になった。「あいつは党や党の重鎮《じゅうちん》である大物議員の悪口を言うことでメディアに取り上げられている。メディアに利用されているのも知らずに。許せん」。また別の機会には、ある総理に気に入られ政治家でないのに入閣した民間出身の大臣に対する風当りを感じたこともあった。「ただの口ばっかりの学者じゃないか。党をまとめられると思っているのか？　つぶしてやる」と皆が息巻いていた。当選1回で入閣した女性議員には、「政治の実績や党での雑巾《ぞうきん》がけが全くないじゃないか。答弁で困っても助けてやらないぜ」という感じで憎しみの対象になっていた。当時の自民党は野党になることなど想定していなかったので、闘争はもっぱら党内であり、野党との戦いより党内の嫉妬の対象に対する足の引っ張り合いやいじめが激しかった。

そういう国民不在の党内抗争に国民は嫌気がさして自民党を見限り、その後政権交代が起こるのだが、当時はそんな日が来るとは私も思っていなかった。今の自民党はその失敗から学んでいるので、自ら足を乱すことはまだ当分なさそうに思うが。

また、青木先生からは「君がいくらある分野ですぐれていても、だからこそ、先にそうでない人をみんな行かせて（出世させて）から君が行けばいい。君はみんなを待ってもまだまだ若いほう。そうやっていけば最後は皆がかついでくる」というようなことを教わったこともある。

若いからこそ「耐えること」「待つこと」を覚えてほしいと言われていたんだなあ、とつくづく思う。

日本には時間がない、だから自分が力を持ちたいと常に焦《あせ》っていた私は、これだけありがたいアドバイスをたくさんいただきながら、何一つ守れなかった。だが、今になって、あれだけの実績を持っていて、生き馬の目を抜く政界で権力者として健在である青木先生のことを思うと、あらためて人生の本質を突いた素晴らしいアドバイスの数々だったと振り返らざるを得ない。そして、これからの人生に活かしていきたいと感謝の気持ちでいっぱいになる。得意淡然、失意泰然で淡々と、男の嫉妬に気をつけながら、「待つこと」「耐えること」に、「戦うこと」以上に価値を置いて人生を使い切っていこう。

2年間売上ゼロの私が、全社で1位になれた理由

数字は人格

　数字の厳しさを教えてくれたのが、私が社会人としてまず門を叩いた山一證券の先輩であった宇都宮徳治《とくじ》さんである。ただでさえ、浮かれていたバブル時代に学生時代を迎えた私は、親のすねをかじって慶應義塾大学大学院のＭＢＡまで行き、２年目をフランス留学ですごして、鼻高々になっていた。そんな私の鼻を思いっ切りへし折り、救ってくれたのが宇都宮さんだ。

　バブル期の就職は今では考えられないものであった。同級生たちは多くの名門企業から内定を複数もらい、どうやって断るかに腐心していた。取り立てて成績がいいとか英語が

できるとかでなくても、多くの学生が引く手あまたであった。そういう傾向にちょっと逆らってモラトリアムを気取り、当時流行《はや》り始めていたＭＢＡを取りに慶應の大学院の門を叩いたのだ。

勉強は大変であったが、何より刺激的だったのは、一流企業から派遣されていた一流社員の皆さんからビジネスについて学べることであった。学校では全くの落ちこぼれであったが、優しくて優秀な皆さんに引き立ててもらい何とか卒業。しかも2年目には大学院からフランスのビジネススクールに交換留学させてもらった。

あくまで学校の中でビジネスを学んだにすぎないのに私はこのとき、「ビジネスはわかった。ガンガン儲けてやる」と、バブルの申し子そのもののような「自分を見失ったお調子者」であった。当時、私が留学させてもらったフランスの名門ビジネススクールには世界中の名門ビジネススクールから留学生が来ていて、当然進路についても意見交換した。「ＭＢＡを取って最も稼げて最も面白い仕事は投資銀行だ。その中でも会社を売り買いするＭ＆Ａだ」というのが多くの学生のコンセンサスで、実際成績のいい順にそういう会社に流れていった。

帰国後、就活で大きく出遅れた私であったが、それでも当時は有名企業から内定をもらうのには困らなかった。先に述べたように、私は日本におけるM&Aビジネスの先駆者である山一證券を選び、人事部長面接で「私をM&Aで使わないなら、それがわかった時点ですぐやめます」とまで言い切り、確約をとった。

当時、山一證券のM&A部門は、支店営業で好成績を上げるか、会計士、弁護士、不動産鑑定士のようなスキルを持った人間しか入れないエリート部隊であった。そこに試験的に私は配属になった。正直、すぐに結果は出せるであろうとなめていた。ところが、実社会の厳しさは違った。ビジネススクールは有意義な場所だが、学んだことがすぐ活かせるほど人生は甘くなかったのだ。

当時の証券会社では「数字は人格」とまで言われていた。どんな人でも数字を残せば崇拝され、どんなに学歴があり人柄がよく常日頃まじめであっても、数字が残せないと「どうしようもない人間」扱いであった。しかも私は支店営業さえやった経験がない。株どころかものも売ったことがないのに、いきなり会社の売り買いの世界に、ノリで入ってしまったのだ。

悪戦苦闘の毎日であった。会うのは会社の売買の決定権を持っているトップだけ。まずそんな人に会うアポイントの電話でさえ掛けられなかった。何とか面談にまでこぎつけても、物言いが失礼でお茶をかけられそうになったこともあった。ビジネス経験がなさそうな若造がいきなり来て、艱難辛苦《かんなんしんく》を乗り越えて守ってきた会社を「売りませんか？」と言うのだから、オーナー経営者の怒りが頂点に達するのも無理はない。

心を折らずに自分なりに工夫を続けてみたが、私の成績はなんとまる2年間売上ゼロであった。

これがどれだけきついことか、証券会社などで営業職をされたことのある人ならおわかりであろう。部屋の壁に名前入りで棒グラフが記されているのだ。私の名前のところは棒どころか横軸の直線のままだ。これが2年間も経てば先輩たちは見事な高層ビルのような棒に達している。私は平たい線のまま。かなりの屈辱の日々であった。あのグラフを見ながら出社し続けた悔しい経験は、今でも覚えている。

ある日突然、あまり口もきいてもらえなかった大先輩である宇都宮さんが「お前運だけはよさそうな顔してるから、俺のもとでやってみろ」と声をかけてくれた。宇都宮さんは山一の札幌支店では伝説の存在で、かなりの営業成績を残し、歴代の支店長から恐れられていた存在だと聞いていた。私は彼にすがった。

「いいか証券会社で力を持とうと思ったら数字しかない。数字を出せ。上からの目線を意識しろ。人柄とか相性もあるが、上は〝お前が数字を出せるかどうか〟だけ見ている。しかも一発屋ではダメだ。コンスタントに成績を残せる〝頼りになる奴〟を求めているのだ。そのために確率を上げていく仕組みが必要だ。ここは皆ライバルだから誰も教えてくれない。自分で自分の道を切り開くしかないが、それにしてはお前はあまりにもビジネス経験がなさすぎて公平ではないから、俺がある程度教えてやる」と私を鍛えてくれた。

自分のことばかり考えていると損をする

その日からM&Aが起きそうな業界の選び方、そして売り手候補の探し方、営業トークなどについて、データや経験をもとに、宇都宮さんは自ら成功させた事例を挙げながら丁寧に教えてくれた。宇都宮さんからは「数字を上げたいとばかり思っていると、自分のことしか考えていないことが相手に伝わる。結果を出したいなら、常に相手の気持ちを知れ。結果を出したいなら、遠回りだが自分のことは忘れて、相手の立場に立って相手の思いを常に考えろ」と口酸《くちず》っぱく教えてくれた。

それからは企業の経営者の視点で考えて、コツコツと買収・売却候補を地道に探し、ひたすら歩いてそこのトップに会い、相手の立場で考えて口説いて、気がつくと私は空白の2年間のあとの2年間、全社ナンバー1の手数料を稼ぐまでの実績を残すことができた。

宇都宮さんからは多くを学んだが、その中では、まずは「上から見た視点を持つこと」の重要性がある。部下として部下目線で上司を見るのではなく、上司目線で自分を見てみること。

今の自分は上司の役に立っているのか？　信頼されているか？　相手の期待は何だ？　それに応えているか？

そうすることでコンスタントに数字を出すと認められる、ということを教えてもらったことは大きい。あとは競争の中でも焦らずに、コンスタントに結果を出せる仕組み作りに励むこと。そしてそのために、常に相手の立場に立ってその人の考えを想定すること。これも彼に教わった。数字がすべての組織に社会人1年目から入れた意義は大きかったと思う。

常に楽天的であれ

志が人を動かす

私が最近影響を受けているのは、起業6年でニューヨーク市場に上場を果たしたアメリカ人女性起業家シーラ・マルセロさんだ。彼女の事業の志が素晴らしい。

企業名は「ケアドットコム」。彼女の事業は保育、家事支援、介護の人材を世界最大の規模でオンラインでマッチングさせるものだ。つまり、ベビーシッターがほしい人とシッターをやりたい人をオンラインで結びつけるのだ。

日本ではオンラインで見つけたシッターによる2歳児の死亡事件があったが、ケアドットコムはそういう悲しい間違いが起こらないように、シッターの保有する資格や年齢や経験年数や実名入りでのレビューを明らかにしている。もちろん顔写真と住所も入っている。空き時間も明らかになっているので、いい人材を自分の必要な時間に近くで見つけられる。

保育に限らず、家事支援でも、介護でも、同じように、好きな時間に近い場所で経験や実績に応じていい人材を探すことができる。

今や16カ国で1000万人以上が使うサイトとなっている。彼女はこの事業について、「ケアのアマゾン」を目指すと言っている。

私と彼女の出会いはある世界的な国際会議の場であった。日本の高齢化について話す私に、彼女は関心を持った。彼女のビジネスの内容を聞いた私は、「それなら絶対日本に来るべきだ。豊かになってから高齢化が深刻化しているのは日本だけ」と言い、彼女はその話を受けて、日本進出を検討している。

学生で2児の母となった彼女は子育てをしながら、とにかく勉強させられるアメリカのリベラルアーツカレッジで学んでいたが、そのときに彼女のお父さんが心臓発作で倒れてしまった。親の介護をしながら子供の世話に追われた彼女は、自分の必要なときに必要な場所で、子供や親をケアしてくれる人を探し出せる術《すべ》が限られていることに気づき、この問題を解決すべく事業を始めた。

インターネットのテクノロジーを使うのだが、介護や保育という地味な仕事につながるので、いわゆるアメリカのベンチャー界では「セクシーな事業ではない」とされたが、多くの人に役立って急成長し、さらに期待が集まり、このたび上場となった。

絶大な信頼感の源

私は戦略アドバイザーの一人なので、彼女とは苦楽を共にする仲といっても過言ではない。彼女から学ぶのは女性らしいしたたかさと、淡々としたところだ。彼女は何があっても一喜一憂しない。何かいいニュースがあったら前向きに捉えて明るい笑顔を見せるが、常に引き締まった顔には「最初よく聞こえても、最後までいい話になるかはわからない」と書いてある。

うまくいかないことがあっても「それくらいのことは人生よくある。ビジネスをやっていれば当たり前のこと」と平然として笑顔を見せる。淡々としているが、根は楽天的で明るいのだ。保育と介護に追われながら、その後事業を立ち上げて、会社を上場までさせて世界展開していることの背景には、この淡々としたしたたかさがあると思う。

彼女のこの明るく、そして安定した人物像が大いなる信頼感の源なのだと思う。ベンチャーなので資金繰りや会社の信用でいろんな苦労が絶えないときも、この彼女の安定した明るさが活路を見出してきたのだろう。

そして、会社組織もベンチャーとはいえニューヨーク市場で上場企業になったのに、アメリカ企業にありがちな会社の権力闘争が皆無である。皆が会社の使命を忘れず、ケアの手を世界に広めるべく自分の仕事に専念している。

男性の起業家には、洋の東西を問わず、天才的でエネルギッシュゆえに精神的な不安定さに似た人格のアップダウンの激しさを見せる人もいるが、女性ならではのしたたかで淡々とした彼女の一面は、私の起業家像をいい意味で一変させた。そんな彼女は創業6年という記録的なスピードで上場を果たしている。男性的なパワフルさがなくても、スピーディーに事業を拡大させることができる証明だ。

創業間もない頃から、彼女のもとに有名な投資家やハーバードMBA等の有能な人材が集まってきたことも人徳のなせる業だろう。彼女は忙しく事業をしながらも、次期アメリカ大統領選の有力候補といわれるヒラリー・クリントンとも親しく一緒に女性の社会進出を後押しする運動などをしている。このように幅広い活動をしていながら、決して原点を忘れていない。

介護と保育に追われた「苦労」を、視点を変えてビジネスチャンスと見なし、世界に事業展開させているこの女性から学ぶことは大きい。

皮肉な「ものの見方」を鍛えよ

「素直で純粋でまっすぐ」ではダメだということを教えてくれたのが、シンガポールのリー・クワンユー元首相だ。「常にシニカルにものを見ることが、ボケないで長生きする秘訣だ」と私に教えてくれた。

リー元首相とは何度もご一緒させていただく栄誉にあずかった。同じ国際会議で登壇する前に控室で懇談したこともあったし、マリーナベイサンズの屋上から一緒にＦ１レースを見ながら、シンガポールご自慢のタイガービールをジョッキでいただきつつ歓談させてもらったこともあった。

彼は本当に辛辣《しんらつ》だ。でも、それは厳しい現実と常に向き合ってきたから、当然のものの見方なのだと思う。かつてシンガポールは、資源豊富なマレーシアから、資源のない漁村として切り捨てられた。そんな中彼は、呆然としながらも国民と一体となって、建国50年で日本を抜いてアジアで最も豊かな国家にした。そして淡路島と同じ面積で広島県と同じくらいの人口だった国を、一人当たりで日本を抜くGDPを実現させ、資産レベルでも最も億万長者の密度が高い国家へと築き上げていった。その実績を上げた彼は、国家元首でありながら、スティーブ・ジョブズら世界的な起業家に勝るとも劣らない国家起業家だ。90歳を超えた氏は、今でも「意地悪」である。

政治家時代に初めてお会いしたときも「タムラさんか。タムラという名前は日本にたくさんありますね。ひょっとして世襲ですか？」と聞かれ、当時世襲でないことが自慢であり、世襲でないことを外国人政治家たちは評価してくれていたので、胸を張って「いえ、世襲ではありません」と答えた。

すると、みるみるリー元首相の顔が曇り「それではあなたは首相にはなれませんね。日本では世襲以外は首相になれないでしょう」と鋭い指摘。

「いきなり首相になれないなんて直接おっしゃるとは、なんて失礼な」と思ったが、それは確かなデータと理論に基づいていたと思う。リー元首相は、選挙区、知名度、資金力、つまり地盤、看板、カバンの政治家の三つの神器の重要性は、変化を嫌う国民には今も有効で変わらないと見ていたのだろう。

確かに、当時首相になるのは世襲の政治家ばかりで、短期間ならそうでない人も首相となったが、結局安定政権の安倍首相は世襲だし、安倍政権の重要閣僚にも世襲が多い。いい悪いの議論は置いておいて、政治家の人事において世襲がおさまりがいいのは事実だろう。

そんなリー元首相は、昨今日本に対して厳しい。近著では「私が、英語を話せる若い日本人だったら国を出ていくだろう」と日本の未来にかなり悲観的である。これだけ聞くと辛辣だが、全部読むと実に論理的な分析で、悔しいが認めざるを得ない感じにもなる。日本がこのまま日本人だけの純血主義を押し通せば、人口は減り、国は老いていき、そして国家として小さく貧しくなる。その日本が中国や朝鮮半島の近くにあるのがまずいというのだ。中国や朝鮮半島の隣にありながら、小さく貧しく老いていくのは、リスクが高すぎるという。その背景には世界の警察官の役割を果たせないアメリカの存在もあると見る。

90歳を超えても、リー元首相にアドバイスや未来の予想図を求める世界のリーダーたちが後を絶たない。その様子に驚き、私は一度「いつもシャープな理由は何ですか?」と尋ねたことがある。そのとき元首相は、茶目っ気たっぷりの笑顔で「誰かの言うことに素直に従ったり、何かを無分別に信じたりすることは楽だよ。だってそれは頭を使っていないから。しかし、ものをシニカルに見るのは脳にいいよ。脳は使えば使うほどよくなる唯一の臓器だから」と教えてくれた。

それ以来、私もメディアの報道から有識者の意見まで「それ本当か?」と疑うことを忘れない。

この本の私の意見も、一般的な意見よりかなりシニカルであるかもしれない。その背景には「常にシニカルにものを見ることが脳の活性化につながる」という氏の教えがある。

偉くなっても偉ぶらない“偉さ”

今を時めく官房長官の菅義偉《すがよしひで》議員からも多くを学んだ。それは「地位は人を変えない」を実践されているところだ。私は「地位は人を変える」と思う。いい意味でも悪い意味でも。ただ、菅先生の場合はいい意味では変わり、悪い意味では全く変わっていない。

地位によって悪い意味で変わらないためには、相当な努力と経験が必要だ。私など典型例だが、地位により人はのぼせ上がる。議員になる前、特に新聞記者をやっていたときは、私は政治家の偉そうな態度が人一倍気に入らなかったのだが、えてしてそういう人ほど、自分がその身分になると偉そうになってしまうものだ。自省の念を持ってこの文章を書いている。

政治家で偉ぶる人は劣等感が優越感に代わるだけで、本質的にはコンプレックス持ちだということだ。しかし、菅先生ほど誰に聞いても態度が変わらない政治家はいないのではなかろうか？　その出自は日本の政界では異例である。秋田の農家に長男として生まれ、高校を卒業後、「東京で自分の力を試してみたい」と集団就職で上京してきて段ボール工場で働く。その後「視野を広げたい」と築地《つきじ》市場で台車を押しながら学費稼ぎをして夜学に通い、秘書を経て地方議員から国会議員に上りつめる。

通常、常に腰を低くしていた秘書上がりの政治家は、記者上がりの政治家が権力批判から権力側に行くのと同様、反動から偉ぶるものが多いと言われるが、菅先生の場合は違う。苦労が人間を悪い方向に変えていないのか、苦労を苦労とも思われなかったのか、その理由はわからないが稀有《けう》なことだと思う。

私は内閣府大臣政務官として経済財政政策に加えて、地方分権も担当したときに、当時総務大臣であった菅先生とのお付き合いが始まった。日銀の金融政策に影響力を与えようと組織した勉強会で、私を会長にして菅先生が一切の縁の下の力持ち役を引き受けてくださったことがある。部下の手柄を自分のものにする人が多かった当時の自民党の中で、自分の手柄を部下の手柄にされようとした菅先生の〝永田町ではあり得ない〟姿勢に感動を覚えた。

こういう姿勢が、世襲の名門議員から百戦錬磨の遅咲き党人派議員にまで人望があることの原因だと思う。だからこそ、決して永田町デビューは早くはないのに、当選回数から見れば、異例の非常に速いスピードで出世をされているのだと思う。その人望の背景には、苦労を知っているのに卑屈にならず、誰に対しても態度を変えない点があると思う。

どんな職業でも、本人が「自分を見失う」瞬間に坂から転げ落ちていく。実際この目で、そういう理由での見事な転落を政界でも実業界でもいくつか見てきた。一方で「自分を見失わない」人は坂を着実に上っていく。

今でも政財界のパーティや講演会等でたまにお会いさせていただくことがあるが、時の大物官房長官にして本当に昔と態度は変わらない。いろんな人が多様な意図を持って持ち上げようと殺到しているであろうに、その中で決して「自分を見失わない」ように己を制している様子はさすがと言うしかない。

「自分を見失っていない」姿の背景にある〝自分の律し方〟に非常に関心がある。いいことがあっても厳しいことがあっても、自分を見失わない菅先生の姿勢を常に見習いたい。

第4章

権力と評価の密接な関係

上司があなたを見てくれないのはなぜか？

「部長は全くわかっていない！」「何を見てこんな指示を出しているのか？」「俺の頑張りをなんでこんなに見ていないのだ」と不満をため込んだことはないだろうか。

私もそうだったが、平社員のときはとにかく課長も部長も無能に見えたものである。下から1日中じっと見ていれば、上司の至らなさなどいくらでも見つけられる。よく食事に誘われると「うざい」と言い、声もかけてもらえないと「コミュニケーション能力のない上司」と一刀両断していた。

「あいつばっかり可愛がっていて不公平だ」とか「上にばっかり気を遣って長い物には巻かれるばかりだ」とか、生意気な評価を同僚や先輩と下してはくだを巻いていた。

多くの部下が下から上司を同時に見ていれば、上司の至らなさには多くの部下が気付きやすい。前述のように、ガス抜きのために悪口を言い合っていることもあるので、下から見た上司の悪情報は共有されやすく、上司への不満はたまりやすい。10人の部下がいれば20個の目が一人を常に見ているのだ。

しかし、一度部下を持って上司になってみれば、多くの部下を同時に公平に見ることなどなかなかできないことがわかる。上司になれば2個の目で10人を見ないといけない。一人ひとりを注視することはできるものではない。

加えて、部下を持つということは、その部下の命運を含めて部門の責任を持つということである。たいていの場合、上司と部下で一蓮托生《いちれんたくしょう》となって数字に大きな責任を負わされる身になる。部下からの評価より先に本業の部門での成果を数字で出すことが求められるわけだ。さらに、人を使って成果を出さなければならない。そのため、情報収集や調整で上との連携が欠かせず、ヒラから見たら相手にもされない雲の上の人にも気を遣わないといけない。

このように、部下の頃は上司に不満ばかり言っていた人も、自分が上司になって初めてその大変さがわかることになる。だからこそ、不満がたまったときには上司に批判的になる前に、上司の目線になってシミュレーションしてみることが大切だ。

この本で口酸っぱく繰り返しているように、ビジネスも政治も外交も、相手の立場になって思考できれば、「百戦危うからず」である。相手のこちらに対する対応が気に入らないことへの不満の改善の第一歩は、相手の立場に立ってみることなのである。

昔は、上司は部下に一方的に命令していればよかったが、今の時代は、そんな調子でやったら、「セクハラだ」「パワハラだ」「ブラック企業だ。辞めてやる」となりかねないので、上司も部下に相当に気を遣ってやる気を出させないといけない。そのため上との付き合いに勝るとも劣らないくらい、下との付き合いでくたびれ果てる。それなのに下は下で、アピールや実績が不足している場合がほとんどなのに、「課長は俺を見ていない」とダダをこねてしまう。

上司に評価してほしかったら、このように、上や下との付き合いでくたびれ、数字に責任を負わされているであろう自分の上司の立場になってみて、その人が何を部下にしてほしがっているのかを想定してみよう。

上司が欲しいのは「数字による成績」かもしれないし、「部内の人間関係の調整」かもしれないし、「上司のさらに上へのアピール」かもしれない。次に、その中で何が最も自分が貢献できるのかを想定してみよう。「よし、しっかり稼いでやろうじゃないか」でもいいし、「上司を誘って、部内で仲の悪いあいつとあいつを一緒に飲みに連れていって、仲直りとまではいかなくても、皆がより頑張れる環境作りをしよう」とか「自分の上司のさらに上の上司に、さりげなく上司をアピールしてみよう」とか考えてみてはどうか？

このように書いたものの、能力というものは人それぞれなので、ざっくりと結論づけるのはよくないが、たいていの場合、平社員には高度な人間関係の調整より、数字で結果を出すことを上司は求めるし、数字を出すほうが人間関係の調整より楽な場合が多い。だからこそ、下は上司が喜ぶような成果を数字で上げるべく奮闘すべきだろう。

そして、大事なのは上司へのアピールである。「頑張れば誰かが見ていてくれるもの」という甘い考えは捨てて、ちゃんと自分の実績は正々堂々と上司にアピールしよう。前述のごとく、部下が一人の上司をじっくり見るほど、上司は部下一人ひとりをしっかりと見られない。

「ちゃんと見ていてくれる」なんて甘い考えは捨てて、「多分気付いていないよ」との想定のもと、しっかりアピールをしていくべきだ。「私がここをこれだけやりました」「この数字のこの部分は私が作ったものです」とアピールするのだ。細かく正確にわかってもらえるように、上司にはこまめに報告という名のアピールを地道に積み重ねていこう。

仕事で評価される人・されない人

なぜ彼ばかりが出世するのか？

俺のほうが業績を上げているのに、出世が早いのもボーナスが多いのもあいつのほう。自分と誰かを比べて、「なぜあいつばかり可愛がられるのか？」「自分のほうができるはずなのに」と苛立ちを覚える。こんな経験をしたことはないだろうか。

実は、うまく立ち回っている奴は、憎む対象ではなく、学ぶ対象だ。政界でうまく立ち回る人たちを多く見てきてそう思う。私も国会議員になりたての頃はナイーブだったので、信念もなく、時に権力者にすり寄る人を目にして心から軽蔑していた。

しかし、あるときから一歩引いて彼らを見るようになった。政治家になった以上、自分の思う施策を実現させないことにはなった意味がない。政策の実行には権力が必要である、それなら常に権力に近いところにいないと政治家になった意味がない。こう考えるようになると、風見鶏のように権力者の後を追う人たちが合理的に思えるようになった。

与党の中にも「武士は食わねど高楊枝《たかようじ》」を気取る野武士風の先輩がいた。その信念ある自由人のような雰囲気にあこがれた時期もあったが、当たり前だが、その人が何も成し得ないことに気づき、やはり権力者に対してうまく振る舞うのは「過程」として大事なことだと思った。

うまく立ち回る人は、実はとても努力をしている。気に入られる準備をしているのだ。権力者はすり寄られるのには慣れているので、普通のすり寄り方では認められない。人に呆れられるくらい忠誠を誓って初めて「愛《う》い奴じゃ」となるのだ。

徹底的に時間も趣味も嗜好も合わせる人がいた。どんな用事があっても、その人に誘われたら嬉しそうに出かけていく。政策面でも、その人の経済政策や外交政策とは違う志向があっても、できるだけその人の方向性をのみ込む。趣味のゴルフに付き合い、酒が苦手でカラオケが下手でもそれに付き合う。ただ付き合うだけではない。花を持たせる方法で、うまく相手をいい気分にさせるのだ。

言い方は悪いが、誰かに嫉妬しているあなたは、権力者へのすり寄り方が足りないのかもしれない。

ゴルフ、カラオケでは愛い奴になれ

若くて体力で勝るものに、年老いた年配者はただでさえコンプレックスを持っている。実は、ゴルフ場こそ相手に勝たせることを訓練する最高の場である。気の置けない友達とやるゴルフや休日に楽しむゴルフは、全力を出して思い切り楽しんでやればいい。そういうゴルフとあなたにとって大切な年長者とやるゴルフは、根本的に別物だと思おう。

年長者とやるゴルフで、あなたがあまりにうまかったりすると次は誘ってもらえなくなるリスクがある。カラオケでもそうだ。年長者が知らない、知っていてもうまく歌えない、流行りの歌ばかりをうまく歌って喝采《かっさい》を浴びたりすると、次の誘いの声はかからないかもしれない。

たとえレジャーの場面でも、無邪気に正面から本気でぶつかったら、そしてそこでの勝負で勝ったりしたら、怨念《おんねん》を持たれるだけだ。それなら徹底して〝愛い奴〟になったほうがいい。若くて体格がいいのに空振りしたり、OB連発だったりしたら「君はパワーはあるけど、クラブにボールが当たらないね」とか「よく飛ぶけど方向がヤバいね」とか言われ始めたら可愛い奴なのだ。カラオケでも「声は大きくて踊りもうまいけど、なんか音程やリズムが違うね」とか笑顔で言われるようになったらしめたものだ。

ここまでやることを恥ずかしいと思うか、それとも潔《いさぎよ》いと思うか。ここが運命の分かれ道だ。私は、以前は前者だったが、政界を離れて振り返ってみると、相手を持ち上げるために頑張る姿勢は潔いと思えるようになった。やりたいことがあって、やれるチャンスが来たら、他人にどう思われようが、そんなチャンスをくれる人に徹底的に忠誠を誓って権力を手に入れようとするのは、汚いことでも、ずるいことでもなく、潔いことだと思う。そこまでやるのが〝本気〟ということなのだ。それを「格好悪い」とか「汚い」とかあざ笑ったり忌《い》み嫌《きら》って批判したりしている人たちの気持ちはわかるが、そういう人たちにこそ「本気でやりたいことを実現させようという気があるのか？」と言いたい。

あなたは「あいつばかり評価されて悔しい」と思う前に、その人より認められるためになりふり構わず頑張っているだろうか？　それを省《かえり》みるべきだ。くだらないプライドや見栄に振り回されていないだろうか？

たとえ気にいらない人でも嫌うのではなく、その人に気に入られ方や評価のされ方を学んだほうがいい。敵に回すのではなく、自分のためにその人の能力を活用させてもらうのだ。あなたが結果を出したいなら、どんなふうに見えても結果を出している人には真摯にすべてを学ぶべきだ。他人の目を気にして、そのときだけでも気分をすっきりさせたいだけの人生なら別だが。

不本意な人事異動の正しい耐え方

期待値コントロールの技術

やりたかったことと真逆の仕事を割り当てられる。大きな都市で思う存分頑張りたかったのに地方都市に飛ばされる。組織内にいると、さまざまな理不尽な出来事にぶち当たるが、その最たるものが人事異動だ。

そもそも、この世には〝不本意な人事異動しかない〟と思おう。希望通りの人事が行われる可能性など本当に小さい。なぜなら、全員の希望を聞いていたら人事など行えるはずもない。また、その人にとって何が本当に最適で最高な人事なのかは、配置されるほうにも配置するほうにも完璧にわかるわけではない。そもそも人生やビジネスの経験の少ない人間にとって希望する人事が将来どれだけ意義のあるものになるかは判断がつかない。また、人事を経ることでその意義は時間とともに変わっていく。

まず余計なストレスを最小限にする方法は、期待値をコントロールすることだ。希望や期待を完全に捨て去る必要はないが、人事に過剰な期待は抱かず、最悪の事態を想定しておけば、たいてい物事は完璧と最悪の間におさまるので、思い通りではない人事が言い渡されてもショックは少ない。人事や待遇を含めて人生で大事なのは期待値コントロールなのだ。

期待値コントロールと同時に大事なのは、「どこへ行って何になろうが、何か得て成長してやる」という姿勢だ。この姿勢は人事担当者には〝気合のオーラ〟として見えてくる。「おおっ。こいつ鍛えがいがあるかも」と思われて、希望の部署に行けるかもしれないし、「ちょっと揉《も》んでやるか」と成長できる艱難辛苦を与えられるかもしれない。

「行きたいところしか嫌だ」とか「どうせ俺なんて希望はかなわないだろう」とダダコネやあきらめのオーラを出していたら、人事に「こいつはしょうもない奴だ」と思われて、チャンスも成長の機会も与えてはもらえない。

不本意な人事の中で、楽しみや成長の機会を見つけてそれに取り組みチャンスを待つ、というのが最も正しい姿勢だ。前述のごとく、たいして経験のない人間が抱く理想の人事なんて、時代の流行りや従来の出世コースのようなものがほとんどではなかろうか？　営業なり、国際部門なり、自分の得意技を早々と見つけ、それをさらに進化させようと思っている人間がその部署を希望するのならだいぶマシだが、そういう場合は、入社前の面接や入社直後の研修のときに、そういう人事がかなうように根回しを含めた準備をやっておくことが重要だ。

そして、若手社員が会社相手に希望する人事の根回しをするなら、二つの前提が必要だ。

・自分が強みだと思うものは、何年も人材を見てきた人事の人間が納得するくらいの強みである。

・単なるわがままととられないように、自分がその部署に行けばいかに即戦力として役に立てるか、利益につながるかを会社の立場で理路整然と説明できる。

これくらいやってダメだったら会社にはあなたの強みはそれほど強みとして理解されて

いないか、あるいはあなたが想定する強みを会社はもっと広く捉えて、大きな目で長期的に鍛えようとしているか、どちらかだろう。

いずれの場合も、腐らずにその部署で目の前の仕事にしっかり当たって結果を残しながら、自らを成長させることが大事だ。

腐るのは人生の最大の無駄

今までの限られた人生の中では自分のレーダースクリーンに入っていなくても、会社が与えてくれた部署で、思いもよらず好きになったり、より才能を感じたりする仕事や専門性が見つかるかもしれない。

腐るということは人生の最大の無駄だ。タイムコストも大きいし、自分の人生を生きていない。自分の「理想の人事」という、限られた経験しかない自分が考えた、意義があるかもわからない創作物に振り回されているにすぎない。あくまで主体的に自分の目的や成長に焦点を合わせて、与えられた環境の中でベストを尽くすことだ。

周りを見たら不条理なことばかりだ。世の中も会社もあなたがフェアだと思うようにできているわけはない。環境は自分で作っていくしかない。主体的に人事を動かせるくらいの実績をコツコツ作っていけばいい。本当に自分の思い描くことをやりたいのなら、自分でゼロから組織を作っていくことも視野に入れておけばいい。ただし、たいていの場合、自分で理想の組織をゼロから作るより、今いる組織の中で実績を作って環境を主体的に変えていくほうがはるかに楽だと思うが。

思い通りに人事がいかないからといって、腐って組織を辞めたり、不満を態度に表したりする前に、その組織の中で目の前に与えられたことでコツコツ実績を作り、その機会を活かして成長していく姿勢を持ち、それを実践していったほうがはるかに道は開けていくはずだ。

無駄な会議を建設的にする方法

不毛な国会

無駄な会議こそ社会人生活最大のタイムコストである。この本を読んでいるあなたも、さまざまな場面で「この会議は無駄だなあ」と思うことがあるかもしれない。

その典型例が国会だ。会議を開いてはいるものの、そこでのやりとりで国益のために生産的なものはほとんど生まれないからだ。

ただし、もちろん意義ある会議も皆無ではない。ある法案や予算の審議中に大きな事件や事故が起きて、世論に敏感な政治家たちが法案や予算の内容を変えることもある。また、中には野党や与党内野党の中のまじめに国益を追求している優秀な議員による追及で、法案や予算の一部が変わったりすることもある。これらは国会で会議が開かれているからこその出来事である。

ただし、現在の自民公明連立与党のように、両院で与党が安定的な過半数を持っている場合、法案が国会に提出されたときにはすでに与党内審議を終えているため、基本的に議論は出尽くしており、与党は賛成で固まっている。そのため国会での審議で、賛否も内容もほとんど変わることはない。つまり、国会とは結論がすでに出ているにもかかわらず、時間を議論に費やしたことを証拠として残すためだけに行われる会議なのだ。そこに、議員の相当なタイムコストが費やされている。ちなみに、議員は一人当たりにつき4億円ほどの国費が投入されている。誰もが最悪に無駄だと感じるだろう。

与党内審議にも政府内の議論にも参画できない野党にとっては、唯一の見せ場が国会の委員会・本会議での政府与党追及である。そのため、野党にとっては国会の審議ほど重要な見せ場はないが、えてして国益の追求より、与党議員や閣僚のスキャンダル追及や自分の選挙区への「頑張っています」アピールの場になる。そのため、まじめな与党議員や閣僚にとって国会での時間浪費はたまったものではない。現職国会議員に、特に与党議員に、匿名でアンケートをとれば、間違いなく圧倒的多数で無駄な時間と答えてくれるだろう。

私は与党議員のとき、委員会の委員も理事も委員長もやっていたので、本当に国会での会議が嫌で、そのときの時間を返してほしいといつも思っていた。結論が決まっているのに、野党のスキャンダル追及や選挙区アピールのために、国益に帰するどれだけの政策や海外視察の時間が失われたことか……。

与党も野党の議員も、こういう時間の無駄を乗り越えて幹部になるので、彼らの指示で委員会に座っていないといけない新人・中堅議員はつらい。日本の国会には定足数というものがあって、会議に委員である議員が、本会議なら最低3分の1、委員会なら半数がずっと座っていないと野党から審議がストップされる。そのため椅子にずっと座って、国益にも政治家としての成長のためにもならない議論を聞いていないといけない。国会議員が忙しい元凶は、実はこの時間にある。

もっと悲惨なのは閣僚である。両院合わせて月曜から金曜までほぼ終日委員会に縛りつけられ、いろんな質問に答えないといけない。ミスを犯さないように答弁のすり合わせもやるので、委員会開催中以外にも相当な時間が早朝や深夜まで費やされる。こうやって日本の省庁のトップの貴重な時間が失われていき、官僚主導になってしまう。野党による与党追及の専売特許的謳い文句は、「○○大臣よ！　あなたは政治主導ではなく官僚主導になっている。リーダーシップが足りない！」だが、皮肉なことに野党の質問こそが、大臣たちが省内でリーダーシップを発揮したり、政策を考えたりする時間やエネルギーを奪っているのだ。

政治ニュースで、たとえば「この法案は70時間審議されました」などと言われているが、その70時間には、その法案に関係のない質疑や「お前、この前の審議聞いていなかったのか？」と言いたくなるような繰り返しの同じ質疑がたくさん含まれているケースが多い。審議時間の長短にあまり意味はないのだ。

会議に参加しないで済むコツ

さて、話を戻して「無駄な会議撲滅」について語ろう。会議にもさまざまな種類があるが、その多くはただ情報を共有させるために参加者に聞いてもらうだけの会議、皆が承認しましたというアリバイ作りの会議、社員一人ひとりで議論を交わしたり意見を募ったりする会議などがあるが、ここでは特に最後のパターンの会議について考えていこう（前の二つに関しては、個人の力で会議を阻止することはほぼ不可能だと考えるので、本項の末にその対処法を示す)。

私は現在、アメリカ上場企業の戦略アドバイザーをやっているが、この会議の問題についてはその経験がかなり活きている。上場企業といっても創業6年のベンチャー企業なので、創業者のリーダーシップとスピード感が半端なくスゴイ。国会で錆びついた瞬時の判断力や決断力が、再び鍛えられる感覚を覚える。CEOに引っ張られて皆よく働き判断が早いし、時間を無駄にしない。

だから、そもそもよほどのことがない限り会議は開かない。タイムコストの浪費が競争の敗北や成長の減速につながるという意識が社内に共有されているのだ。また、グローバルに事業を展開しているので社内関係者の間に時差があり、広大なアメリカ国内でも時差があるので、簡単に皆の時間を同時に拘束できない。

このように無駄な会議を開かないための秘訣は、まず徹底的に情報を関係者に渡すこと。会議の目的には会議に参加するメンバーからの情報収集もあるので、徹底的に情報をCEOやその周辺にこまめに伝えておけば、「あいつを呼んでもこれ以上聞くことはないな」と思われる。

また、CEOやその周辺からの質問に対しては、できるだけ迅速に丁寧に答える。自分が所管する業務に関して決断する人たちに、疑問を持たれないくらいのレベルまで自分が正確に知る範囲で答えておくのだ。

そして会議に呼ばれそうな雰囲気になったら、会議で私から聞きたいことを徹底的に事前に聞いてもらう。そして的確にそれに答える。それでもわからなかったことは「またすぐ聞いてくれ」と伝えておき、それにできるだけ的確に答える。

これを習慣づけておけば、必要な事前情報をたっぷりもったものが集い、無駄なやりとりもなく、皆でクリエイティブな解決策を考えることができる。時間の使い方として大きな意義があり、ビジネスパーソンとして成長する機会ともなろう。

結論を言えば、とにかく会議を開きたがる上司にこまめに情報を入れておくこと。そして頻繁にコミュニケーションを取り、その人が疑問に思っていることを先読みして、自分なりの分析結果や回答を伝えておくこと。会議をやりたがる人に「必要ないな」と思わせることがまず必要だ。

私の今ある環境は理想であり、「そうはいっても、そもそも自分の組織に会議が好きな人がいれば、情報があっても彼がやりたがるから仕方ない」という人もいるだろう。

国会のように「会議の時間を費やすことが仕事」と思っている人が会議を仕切る立場に

いたら、これは地獄だろう。こういう場合は、やたらと立ち向かって嫌われるより、納得させる理由を見つけ出して、社外に出ていくことだ。「言われた通り、例の契約を詰めるためにこの日は出張になるのですみません」と、無駄な会議のための時間調整を不可能にするのだ。

あなたの周りにも「あの会議は無駄」と思っている同僚や先輩や後輩がいるだろうから、その人たちと結託して会議のための時間調整を不可能にさせることも有効だろう。「こんなにそろわなかったら会議開けないなあ」と思わせる事態を作るのだ。

それでも会議をやることになったら、開き直ってその場を有意義にするしかない。私は議員時代に、資料と称して委員会に読みたかった本の縮小コピーを持ち込んだり、語学の鍛錬のために英字新聞のコピーを持ち込んだりしていた。大勢の会議で隅に隠れることができるなら、参加しているフリをして、タブレットやパソコンで自分のスキルをアップさせる内職に励むのも有効だ。

あるいは、いっそのこと積極果敢に建設的な意見を礼儀正しく述べて存在感を高めるのも悪くはない。建設的な意見で会議をクリエイティブな方向に持っていくのもいいだろう。いずれにしても、避けようのない会議は開き直って自己鍛錬に利用するのだ。

喧嘩が下手な日本人

なぜ日本はアマゾンも匿名書評なのか？

日本のアマゾンの書評になれている人は、本場アメリカのアマゾンの書評がほとんど実名だと言われたら驚くのではないか？　実際、私の日本人の知人たちもこの事実にまず驚きを見せる。レストランのレビューもアメリカでは実名だ。日本でレストランレビューとして有名な食べログでも、実名のレビューはあまり見たことがない。

日本でも、本やレストランのレビューを実名で書いているブロガーもいるし、サイトもあるが、最大手のレビューサイトはほとんどが匿名だ。

そもそもアメリカでは実名による評価でない限り誰も重きを置かない。匿名による評価など本人や本人のライバルが書いていると思われても仕方がない。実名で書評を出すことにより、書くほうに責任感とそれからくる緊張感が生じる。レストランでも本でも自らをさらして評価するので、お里が知れることになるからだ。

日本では何につけてもネット上のレビューは匿名なので、それらしいことが書いてあれば参考にするしかない。もちろん、匿名でもアメリカの実名に負けないくらいフェアで深い分析に基づく評価が書いてあるものもある。むしろ、これくらいのことを書くなら最初から実名にすればさらに信頼が増すのに、と思うこともある。ただ、そういうものより、感情的で浅いレビューのほうがはるかに多いと思うが。

日本はそれなりに大きくて広い国なのだが、人と人との関係が密で濃く、フェアなレビューも人格攻撃と受け止めてしまうくらい議論に慣れていない。そのため他人による批評を受け止める度量が狭いので、実名で実のある厳しいことが書けない風土なのだろう。

予定調和で出来上がった社会

日本人は人格攻撃にならずに議論をするのが下手だ。これは教育の段階から慣れていないからである。その象徴が政治家の議論だ。国会でもそうだが、私がよく出させていただいた政治討論番組でも議論が人格攻撃にすり替わってしまうことがよくあった。そして先輩や同僚と建設的な議論をしようとしても、「お前、あれだけ目をかけてやったのにそういう態度か？」「お前、俺に意見するならもう知らんぞ」となってしまう。

成熟した議論を尽くすためには、社会全体に慣れがないと難しい。アメリカのビジネススクールやロースクールでの議論では、人と違う意見を言わないと存在意義がないとされる。つまり学生時代から相手が誰であろうが、反対意見を含めて人格攻撃に陥らずに好き勝手に議論することを学ぶのだ。

私はニューヨーク市場に上場しているアメリカ企業の戦略アドバイザーをやっているが、会社の幹部と議論するときも、相手が社長だろうが副社長だろうが、反対意見を言わないと「役に立たない」との烙印を押されてしまう。教育の段階から実社会に至るまで議論に慣れているのだ。

この企業には、いろんな意見を面と向かって好き勝手に言ってもらうことがトップにとって正しい判断をするために必要であり、そのためにいろんな社員を雇っているという考えがある。一方、日本の会社の会議で、自由に上司やトップに反対意見を述べられる機会は、一部のベンチャー系を除いてあまりないのではないだろうか。

ただ、言われるほど、海外ではイエス・ノーをはっきり言うわけではないし、欧米人が公然とした批判に対して寛大に受け止める心を一概に持っているわけでもない。最低限のルールと礼儀は必要だと思う。

例えば、褒めるべき点と改善を要求する点を述べてそれをフェアな理由で説明する、言葉や言い回しの選び方を慎重に行う、賛成でも反対でも誰かと議論するときは礼儀とリスペクトを忘れない、などだ。

アメリカでは教育で議論の仕方を学ぶからこそ、質の高い議論ができるわけで、日本も教育から変えていかないといけない時代になったのかもしれない。相手を傷つけずに自分の意見を言うことを学ぶ機会が小学校くらいからあってもいい。私の記憶では自分の意見を言う機会は日本の教育現場にはなかったと思う。最近の学生に聞いても、あまり変わっていないようだ。

日本企業は権力闘争が好き？

政治権力はビジネスに不可欠

アメリカでロビイストという仕事が花盛りだ。アメリカで国会議員を目指すものの最大のゴールがロビイストだという。引退・落選議員の3～4割がワシントンDCのKストリートでロビイストになっている。

議員時代より自由で羽振りもいい。なぜこの仕事がそんなに栄えるのか？　それはビジネスが権力を欲しているからだ。「海軍より海賊になれ」と自社の社員に訴えていたスティーブ・ジョブズに代表されるように、シリコンバレーの起業家たちは権力や規制に反抗する傾向がある。最近でも有名起業家たちが「シリコンバレーはアメリカから独立すべきだ」と叫び、話題になった。

ところが、これら権力から距離を置きたがっている起業家たちだが、彼らも成長するにしたがって、さまざまな規制や税制の壁にぶち当たる。グーグルやフェイスブックも巨額のロビイング費用を支払い始めた。米ＮＰＯコンシューマーウォッチドッグによると、２０１３年のロビイング費用はグーグルが１４１０万ドル、フェイスブックが６４０万ドルである。アメリカ議会で彼らのサービスのビッグデータ活用等の規制論が議論されるたびに肝を冷やし、今ではロビイングに巨額の費用をかけている。

権力に復帰した自民党には、さまざまな業界から陳情が相次いでいる。権力に無縁と思われたベンチャーキャピタルやファンド業界も、今や協会を作って役所や政治家に働きかけているのだ。規制や税制を握る政治権力が、ビジネスに必要なのは言うまでもない。いくらいいビジネスモデルでも権力との付き合い方を誤れば、税や規制の変更で一気に収益は吹っ飛んでしまう。

これは政治とビジネスという権力の極端な例にすぎないが、次に社内の権力と仕事の関係について考えてみよう。

「調整型」が評価される組織にありがちなこと

日本の組織は概して現場が優秀でトップの出番がなくても大丈夫、というのが通説だ。もちろん、ソフトバンクやユニクロのような強烈な経営者の個性とそのリーダーシップに命運がかかっている会社もある。そういうリーダーシップのはっきりした会社は、権力の核がわかりやすいので、それ以外のところで権力闘争が起きにくい。一方、調整型の経営陣が歓迎される組織では、調整が始まる過程で権力闘争が起きてくる可能性が高い。

調整とは言い方を変えれば政治である。異なる利害を調整するのが政治なのだ。そのため、調整型経営陣を選ぶ過程そのものが政治になりがちだ。数字で成績がわかりそれにより進退が決まる組織なら、政治つまり権力闘争は仕事をする上でそれほど大事でなくなる。しかし、数字でなく、調整でリーダーが決まってくるような組織は、調整の過程で多くの権力闘争が起こる。現場が優秀なせいで、上は安心して権力闘争に打ち込めるほど暇を持て余しているので、それこそ権力闘争に明け暮れる。

それでも組織が傾かないのは現場が優秀でよく働くということが大きいのだが、やがてはこういうまじめな人たちも権力闘争に巻き込まれていくのだ。

先に述べたように、私は上場したアメリカのベンチャーのアドバイザーもやっているが、彼らは権力闘争とは今のところ無縁だ。第一、グングン成長しているので、皆とても忙しい。権力闘争に明け暮れるためには、時間とエネルギーの余裕が必要だが、皆がギリギリの効率で働いているので、ベンチャーにはそんな余裕はない。現場もトップも価値を生まない人間は会社を去るケースが多い。トップも暇ではないし、能力がないと会社が傾いてしまうので、権力闘争をやって人事を決めている暇も余裕もない。

日本の大企業も、グローバル化とテクノロジーの革新が急速に進む現代社会では、厳しい競争の中で、やがてそんな場合ではなくなるだろうが、今のところは暇にまかせて権力闘争していてもいいという組織が少なくない。

ただし、私は一概に権力そのものを否定しているわけではない。権力が必要な場合もあるので、無駄に逆らったり自ら遠ざけたりする必要はない。しかし、それに頼り切りになって振り回されるのはリスクが高い。権力なしでも仕事ができるようになるよう鍛錬を欠かしてはいけない。ほかの誰にもできない仕事ができるようになれば、権力のほうからあなたにすり寄ってくる。

力にすり寄るのは汚いことか

無頼派は楽だが損

権力闘争に巻き込まれないで淡々と仕事をしている人が最強ではないか、という説がある。私にはそうは思えない。無頼を装うことはいいが、本気でそうなって権力闘争から仙人のように離れてしまうことはおすすめしない。

無頼な人ばかりで構成される成長途上の有力ベンチャーならそれもありだろうが、人口減少社会つまり市場のパイが縮みつつある日本では、そもそも多くの場合、急成長を維持できないので、そういう会社はベンチャーでもあまり存在しない。そのため、ほとんどの組織では権力闘争が行われているのではないか？　組織の成長に限界があれば、組織内部の闘争も激しくなる。縮むパイを奪い合う過程の中での権力闘争ほど凄惨《せいさん》なものはない。

実はナイーブなまま政治家になってしまった私も、政治の権力闘争の水面下でうごめくゴマすりや二枚舌を目の当たりにしてホトホト嫌になり、この〝無頼派〟ポジションを目指したことがある。しかし、私はこのポジションでは仕事ができないと思い始め、権力闘争に参画する。

結局、本当にやりたいことを実現するためには組織を動かすことが必要で、そのためには権力を手に入れないとできないということを実感したからだ。個人でもすごい才能を発揮する天才はいるし、その人たちが発揮するインパクトも決して小さくはない。しかし、たいていの場合、個人の力でできることは知れている。

目的のために「組織力」を利用せよ

人間のすごさは組織力である。個体の力では猛獣や自然災害にはかなわないが、集団で知恵と力を発揮して、それらを打ち負かしてきたのが人類の歴史だ。組織を形成できる知能を持ち、知恵と力を組織としてまとめられるのが人間の強さであり、それは現代社会でも変わらない。

会社の看板がなくても活躍できる人材はいないことはないが、多くは会社の看板を使って力を発揮している。ある程度までは、組織の中で権力闘争に巻き込まれなくても力を発揮することはできる。しかし、ずっと権力闘争を避けて、実力である程度の地位を築いても、仕事のステージが上がっていけば、組織の力を借りないとなかなかいい結果が出せなくなってくる。権力闘争を避け続けてきた人が、いい年になって初めて巻き込まれることほど危険なことはない。

結局、そんなに権力闘争を避けたければ、余人をもって代えがたい圧倒的な地位を築かないといけないことになる。いかなるものが権力を握っても、「あいつの力はこの組織に必要だ」と思ってもらえるほどの実績を出し続ければ、無頼派でいいだろう。しかし、多くの仕事では、そうはいかない。

あなたがいなくてもたいていの場合、組織は困らない。替えが効くのだ。天才一人の実績は、凡人数名のチームワークで取って代わられることもある。また余人をもって代えがたい力があったとしても、時代が移れば、天才の実力への評価も変わってくるし、力が落ちていくこともある。

無頼派を装いながら実力をつけていくが、実は裏では権力闘争の情報を入手して最新の状況をフォローしておく。そして、自分が今その闘争に巻き込まれたらどうするか、常にシミュレーションをしておくのだ。権力闘争なんて馬鹿らしいと、距離を置くことを決め込んでも、本当にやりたいことがあるなら、いつかは渦中に入っていき、勝って自分の有利なポジションを獲得しなければならない。

この世は不条理であり、正義や義理は大事だが、それを純真無垢《むく》なまま鵜呑みにして行動していては、たった一度の奇跡のような人生を満足する形で使い切ることはできない。現実は汚く見えるものだが、そんなものに嫌悪を示すより、自分の目的に集中して、そこで結果を出すことに専念したほうがいい。結果を出すために権力に接近することが必要ならば、その力を活かすことも視野に入れて準備しておくことだ。

権力を握る人の条件

権力闘争に巻き込まれたら

対立する二つの権力の間で板挟みにあったらどうするべきか？

権力闘争に重きを置いている組織の中でそれに巻き込まれたら、勝ちに行くだけだ。闘争があるということは、勝負している有力候補がいるということで、どちらにくみするべきか、見極めは難しいかもしれない。ただ、通常はどんな権力闘争でも本命といわれる陣営があるはずだ。現政権に気に入られて禅譲《ぜんじょう》が期待できるか、転覆を狙って着実に安定多数で現政権をつぶしにかかっているか、ケースはいろいろだろうが、全く同じくらいの強さを持った勢力が拮抗《きっこう》している確率のほうが、当然だが低い。

日本人は勝ち組をかぎ分けてそちらに流れるのは得意なので、二大政党制が定着した最近の国政選挙では、いずれも一方が圧勝する形になっている。

また、勝負というものには、それにかかわる人たちは一生忘れられないくらいの強い執念を持って臨んでいる。たとえ圧勝したとしても自分に向かってきた相手のことはずっと覚えていて、嫌って憎しみを持つことは先に述べた通りだ。

ここから学べることは、間違っても負け組に乗らないことだ。勝ち組の候補者があなたを心の底から憎んでいて100パーセント間違いなく冷や飯を食わされる可能性が高いなど、よほどのことがあれば別だが、意気に感じたり妙な正義感を出したりして、負け組に乗っかってはいけない。

苦手な人物がいたとしても、積極的に勝ち組に関与していくのだ。人生〝意気に感じること〟も大事だが、社会人になってそういう感傷的な勝負に出てしまっては失うものが大きすぎる。何のために自分はその組織に入ってその仕事をやっているのか、このことに常に集中しよう。

権力者に逆らったり嫌われたりしたらいい仕事はできない。思想・信条がいかに合う人がいても、その人に力がなければ組織の中で目指すことを実現できる可能性は低い。だとしたら、自分の仕事の価値や意義を向上させてくれる力を持った人の傘下《さんか》に入るべきだ。

もちろん、技術の進歩や経済の状況で会社の業績や顧客や取引先の嗜好が激変し、事前の想定と違う勝負になることがある。これは政治でもよく起こることだが、ビジネスの世界でも当然起こり得る。

こういうときは事前に勝ち組と負け組を想定して、勝ち組に関与し始めたあとも、勝負の流れの変化をよく見ておこう。ただし、流れが変わったと判断しても、安易に乗り換えるのはよくない。基本的には一度関与した陣営には徹底して忠誠を尽くし、そのためにできる限り戦うことだ。流れが変わったと思っても、それで腰軽く陣営を替えてしまったら相手に軽く見られ、仲間を失う。

常に情勢を把握せよ

ただし、勝負の行く末はしっかり追いかけて逆算して準備はしておこう。私は自民党内での権力闘争を何度も経験し、このことを学んだ。私の政治の師匠だった青木幹雄先生は勝てる陣営を瞬時に確実に見抜きつつ、それが情勢の変化でどう推移していくかも実にこまめに冷静に見ておられた。プランAだけでなく、プランBもCも用意してあった。

情勢の変化で、当初の予想に反して自らが敗者の陣営にいることがわかっても、ジタバタしないことだ。勝負が見えてきた頃、相手陣営にもそれとなく自分の有用性と忠誠心は示しておいてもいいだろう。そして、当初自分が勝ち組だと見抜いて支援を決めた候補を徹底的に応援しよう。そこで〝負け戦でも奮闘する自分〟への信用を勝ち取るべきだろう。

ビジネスだろうが、政治だろうが、教育だろうが、権力闘争に巻き込まれたら勝つしかない。そのためにも、自分の能力を高めておき、自分のやりたい、そしてやるべき仕事を成功させられることに焦点を合わせるべきだ。自分の思想・信条や好き嫌いより「力」を大事にしよう。徹底したリアリズムで自分の仕事のできと権力闘争で勝つであろう陣営に関与することに集中すべきなのだ。それが、権力に近づくための最善の一歩でもある。

飲み会を有意義にする方法

会社での飲み会は大切にすべきか？　一般論を言わせてもらえば、自分の大事な時間を昼間も一緒にいる人とすごすなんて時間の無駄である。自分の将来のための勉強や社外とのネットワーキングに使うべきだとも思う。

しかし、今所属する組織でやりたいことがあるなら積極的に参加すべきだ。私も会社に勤めていた頃は、日本の飲みニケーションは多くの場合、家庭崩壊、健康被害、そして会社の生産性低下をもたらし、「百害あって一利なし」と思っていて、あまり好きではなかった。しかし、「好きか嫌いか」と「いいか悪いか」は話が別だ。自分の目的を遂行するには、「好きか嫌いか」よりも、「いいか悪いか」を優先すべきである。組織人であるなら、その好機を活かすのだ。

人と打ち解けるのに時間がかかる日本人にとって、飲み会ほどその時間を縮めてくれる機会はない。そして、苦手な人や嫌いな人を、したたかに味方にするのに、これ以上のチャンスはない。

また、基本的に日本人は、お酒が入ると警戒心も財布のひもも緩む「お人よし」なので、飲み会は口外してはいけない秘密情報を入手したり、いろいろな約束を取り付けたりするのに絶好の機会だ。

かつて、政治家同士の飲み会も本当は好きではなかったが、自分に鞭を打ってでも必ず参加した。それは出てみればとてもいい機会だと思えたからだ。

飲み会に出てその機会をうまく活かせば組織内で味方を増やせる。加えて、組織内外の人間関係を含めた貴重な情報に接することができる。口が堅い人でも飲んで一緒にいる時間を増やせば、いろいろと打ち解けて話してくれる。まあそのせいで、夜型になり健康を害してしまったが、それくらいのダウンサイドを埋め合わせるに十分な情報や人脈を獲得できた。

ただし、酒癖の悪い人には最低の場になるリスクもある。せっかくのチャンスのときに、くだを巻いて嫌われたり喧嘩をしたりしたら、元も子もない。酒に飲まれるようなら出ないほうがいい。ただ、酒の席なら多少の失言は許されるので、可愛くフォローを心がけることも大事だ。

　本当はランチや朝食でも同じように情報が入手できたり人脈が作れたりするようになればいいと思うが、今の日本人を見ていると、それにはまだまだ時間がかかると思う。

　だからこそ、その組織で成し遂げたいことがあるなら絶対に出るべきだ。やりたいことがあるのに、情報も人脈も得られる場である飲み会に参加しないなんて、そんな選択肢はあり得ない。

　近々会社を辞めるという場合でも、逆にそれならぜひとも飲み会に参加すべきだ。せっかく所属し一緒に時間を共有した仲間とのネットワークや情報を次の仕事にも活かせるよう温めておいたほうがいい。それまでのつながりを切ってしまうような辞め方は、よほど特殊な理由がある場合をのぞいて、よくないと思う。

　ただ、飲み会は大切だとはいえ、それ自体が目的にならないように注意しよう。あくまで主体的に、目的のために、したたかに機会を利用しよう。毎回、二次会、三次会まで行ってしまうと、タイムコスト的には採算が合わなくなる。せっかくの情報も酔っぱらって忘れてしまうかもしれないし、酒の席でのいざこざなど失敗のリスクも高まるので、楽しく一次会で密に交流してお別れというのが賢い参加の仕方だ。

不機嫌な職場で、息苦しいあなたへのヒント

「人生はそもそも理不尽なもの」という現実感覚を持てば、いかなる職場にいてもストレスは大きく減らせる。ストレスの多い人は何事にも過剰に期待をしている人だと思う。

誰にでも公平に人生が準備されているわけではない。それは人類の歴史を振り返ればわかることだ。植民地支配や人種差別や虐殺や略奪が人類の歴史では行われてきた。人生はそもそも理不尽だが、今の日本はとてもいい環境で、理不尽さから殺されてしまうようなことはほとんどない。

今の日本では、機会は完全に平等ではないが、ひどくアンフェアというわけでもない。誰でも権力者を自由に批判できるし、それを自由にＳＮＳで発信できるし、仕事も住む場所も自由に選べる。

ブラック企業とか言われるところに入ってしまっても、嫌なら辞められる。職場に限ら

ず、そもそもどんな社会でも理不尽に出来上がっているものだし、そう思えば「さもありなん」と開き直れると思う。もちろん、自由に辞める権利が行使しにくい状況はあるだろうが、本当に死ぬほど嫌なら行使したほうが救いになる。

嫌な奴が出世したり、不当な扱いやいじめを受けたり、仕事が思ったほど楽しくなかったりしても、そんなことは洋の東西を問わず、どこにでもあることだ。素晴らしい人格者に囲まれ、常に公平に扱われ、何をやっても楽しい仕事ばかり、という環境にある人はどこにもいない。

ドラマや映画の世界に出てくるような、素敵な職場を想定して社会に出るから、そうではない現実にぶち当たるとストレスを感じてしまう。世の中は自分に都合よくできておらず、それどころか多くの場合、「自分にとって理不尽だ」と感じるくらいでいいのである。

不機嫌な職場環境でも、心持ち一つでストレスはコントロールできる。あとは高杉晋作の心境だ。彼の辞世の句と言われる「おもしろきこともなき世におもしろく」というのは私のモットーでもある。「ブツブツ環境に文句を言う暇があったら、自分でそこを面白くしたらどうだ!?」というのが彼の思いだろう。官僚的で息苦しかった江戸末期の社会を変革しようと立ち上がり奮闘した志士らしい発想である。

自らの心の持ちようでストレスを抑え、自分の行動で面白くしていくのだ。ないものねだりをして時間とエネルギーを無駄にしてストレスを増やすより、目の前のことに一生懸命取り組んで、少しでも自分と自分の周りを面白く楽しくすることに時間とエネルギーを投入しよう。

人生は、あなたが主役であるべきだ

他人の人生を生きていないか？

社会で生きていく上で、人間関係の悩みはつきものだ。なぜなら、人は多かれ少なかれ、他者の評価や他人にどう思われているかが気になるからだと思う。

私自身も、政治家時代は常に他者の目を意識した。自分が有権者にどう見られているのか？　党の中で、派閥の中でどういう評価なのか？　選挙区での評判はどうなのか？　そのような、自分を客観的に冷静に見る視点を失ってしまっては政治家はできない。他人様《ひとさま》の投票行動によって首がつながっているだけの究極の非正規雇用なので、他者の視線は意識しないといけない。

このように人間は一人では生きていけないので、いろんな人とうまく連携するためには自分の立ち位置を客観的に確認する必要がある。だからといって他者の視線に振り回されてはいけない。あくまで自分が主役でないと、どんな仕事であろうと結果は出せない。「他人から見た自分を意識する」ことと「他人から見た自分を妄想してそれに振り回される」ことは全く別である。前者はあくまで本人が主役。後者は他人が主役で、振り回される本人は主体性を失っている。

また目的遂行のためには、どんなに滑稽であっても馬鹿にされても、他人の目を気にすることなく行動に移すことが重要な場面がある。例として政治家の土下座や選挙時の涙を挙げたい。政治家時代、私はこれができなかった。「国民のために働くのに、なぜ国民に頭を下げないといけないのだ」と青臭く思っていたのだ。しかし、某先輩政治家は違った。

他者（支援者）を意識して頭を下げているが、彼は心の中では頭は下げていないのだ。心の中で下げていない自信があるから平気で頭を下げられるのだ。主体はあくまで自分であり、他者の目に振り回されていないからこそできる芸当だ。

彼は「政治家は生き残ってなんぼのもの」「政治家でないとできないこと、政治家としてやりたいことがあるから、政治家でいるために合法的なあらゆる手を尽くすべきだ」と常日頃から言っていた。「本気なら土下座だって泣くことだってできるだろ」「格好つけて『できない』とか言っている奴は、それこそ他人の目を気にして振り回されているんじゃないか？」とよく言っていた。尊敬する先輩政治家だが、当時この発言には違和感を持っていた。しかし今はよくわかる。これも一つの立派な主体性の在り方だ。

人生は自分が主役であるべきだ。死ぬときは思い出くらいしかあの世に持っていけない。他者の視線を気にして生きていても、死ぬときは一人で死ぬのだ。他人の視線に振り回されていては、あっという間に時間がすぎて人生の終わりが来てしまう。そんなことをしていては、自分が自分の意志で生きてきた思い出も作れない。

死ぬときに後悔すること

２０１２年２月１日に英ガーディアン紙に掲載された、スージー・スタイナー記者による、多くの死者を見送ったオーストラリアの看護師ブロニー・ウェアさんの話が印象深い。彼女は自分が緩和ケアに働いていたときに見聞したことをまとめて『死ぬ瞬間の５つ

の後悔（The Top Five Regrets of the Dying)』という本を出版した。その中のトップが、

他人の期待に応えようとするばかりの人生ではなく、自分が真に生きたいと思う人生を生きる勇気を持っていたかった（I wish I'd had the courage to live a life true to myself, not the life others expected of me)。

というものだという。これを読んだときに「洋の東西を問わず、自分の人生を生きるのは難しいんだな」と思った。人生が限りなく続くように思えるときに「自分が何のために生きているのか？」を考えるのは困難だ。なぜなら「そんなことはいつか考えればいい」と思えるからだ。

しかし、死の間際に、残された人生がわずかなものと悟ったときに「何のために生きてきたのか？　生きるべきだったのか？」を考え抜かずにはいられない。このトップ1の後悔からわれわれは学ぶべきだろう。

他者はあなたが思うほどあなたをフォローしていない。テレビタレントでもスポーツ選手でも政治家でも、ピークにあるいっときくらいは朝から晩まで追いかけてくるような人

がいるかもしれないが、ずっとストーカーのように追い回されるわけではない。ましてや人気商売にある人でなければ、自分が思うほど他者はあなたを見ていない。

加えて、他者の目は多くが不十分な情報に基づいた偏《かたよ》ったものであり、同時にうつろいやすいものだ。いっとき、それはいい方向に誤解されることもあれば、逆に悪い方向に誤解されることもある。あなたに関心を失えば、過去にあった批判も支援も友好も何もかも薄まる。あなたも変わるし、相手も変わるし、世の中も変わる。期待された政党があまりに中身がないので地に落ち、一方、忌み嫌われていた政党が、たいして中身は変わっていないのに大きく支持される時代が来たり、絶大な人気を誇ったスターの評判が地に落ちたりする。そんなうつろいやすいものを大事に思って追い求めてもあまり意味がない。そんなものに左右されるより、自分のやりたいことに没入したほうがいい。

今あなたが他者からどう見られているかなんて、人生の最後から逆算すればどうでもいい途中経過なのだ。そんなつまらないことにとらわれているのは時間とエネルギーの無駄。人生を台無しにしているのだ。主役となってもっと思い通りに生きてみてもいいのではないか？

人に好かれたい願望

人はできるだけ多くの人に好かれたいと思っているし、実際、慕われたほうがいいに決まっている。それには何も反対しない。ただ、「他人の気持ちはコントロールできない」という、ある意味、冷徹な前提を認識した上での話だ。

私の持論は、何事も「自分がコントロールできるものに力とエネルギーを集中すべき」というものだ。自分がコントロールできないことについて、あれこれ悩んだり、心配したり、イライラしたりしても仕方がない。そして基本的に他人の気持ちはコントロールできない。これは家族でも友人でも恋人でも社員でも同じだ。

人に好かれたいという思いに振り回されて〝自分の人生〟を生きなかったら、私にはその時間は無駄に思える。他人に好かれたり慕われたりすることはとても大事だが、それに振り回されていたらとても不幸だ。

私も政治家時代にそういう時期があった。選挙前になると地元で好かれることばかりを優先していた。どうやったら好かれるかに腐心し、物言いや服装や地元活動のことまで考え抜いた。政治家としての自分の人生、つまり自分の信念よりも他人受けを狙っていた時期だと思う。

政治家もある意味人気商売だが、人気に応じて売り上げや収入が変わるわけではない。人気が大事なのは数年に一度の選挙のときであって、それ以外は政治家としての人生を生きるべきだと、あるとき思い立った。

人間とは敏感なもので〝好かれたい〟というオーラを出しているときは人々は警戒し、こちらの足元を見て、そう簡単に好きになってはくれないものである。有権者も社員も慕われたいと思いながら行動をしている人にリーダーシップを感じてはくれず、ついてきてはくれない。

好かれたい・慕われたいとの思いに突き動かされ、振り回され、他者にこちらの媚《こ》びる気持ちを見透かされ、逆に好かれず慕われない状況に陥るより、目の前のことに主体的に精一杯取り組むほうがいい生き方だ。結果として、そういう生き方をしている人を他人は慕ってくる可能性が高い。私も好感度ばかり気にしている人より、一心不乱に頑張っている人に好感を覚える。

他者の気持ちはコントロールしようとすればするほど離れていく。そんなものをこちらの思い通りにしようとするのではなく、確実にコントロールできる自分、そんな自分の目の前にあることに時間とエネルギーを集中投下すべきなのだ。

張り合わず、自分のために利用せよ！

他人と自分を比べて、くよくよ思い悩み、劣等感を抱え込む人がいる。しかし、一概に「世界に一つだけの花」の歌のように、他者と比べるのは無駄というわけでもない。先に述べたように、主体性を意識し、ベンチマーク、つまり自分の居場所を確認するために他者と比べるのは有効だ。

私も議員時代、先輩や同僚がどういう選挙や事務所態勢にしているのかを知るためによく他の議員の選挙を手伝ったり、応援に行ったりした。そこで自分の選挙や事務所態勢と比較するのはとても意義あることだった。

そこで「世界に一つだけの花」を決め込んで、他者を全く意識しないというのもおかしい。「世界に一つだけ」になりたかったら、ほかの花がどんな花なのかよく知ったほうがいい。差別化戦略は、逆説的だが、他者の後追い戦略をしっかり立てることで見えてくる。

やる気が出ないときに、頑張っている他者を見てモチベーションを高めるのもいい。人間は影響を与え合う生き物なので、他者から刺激を受けるのは正常なことであり、そうした性質をうまく使うべきだ。

ただ、ここでも目的が競争や張り合いになってしまっては本末転倒だ。自分の目的を達成するために相手を刺激として利用するだけである。あくまで主人公はあなたであり、比べることに振り回されないことだ。

頑張っている他者のツイッターやフェイスブックでのフィードを見て、やる気を出したり、何か情報やノウハウを学ぶのはいいが、そこで頑張っている他者を見て落ち込んだり、やる気をなくしたりするくらいなら、見ないほうがいい。

友人のハーバードビジネススクールの教授から興味深い話を聞いた。「この学校に学びに来ている人は基本的に自信と闘争本能にあふれていて、時に闘争本能に振り回されてしまう。いい例が同窓会。卒業後5年、10年、20年の区切りで同窓会をやるのだが、そこに来られない奴らがいる。それは同窓生に『事業や家庭がうまくいっていない、今の自分を見せられない』という過剰なプライドと闘争本能からだ。しかし、われわれは主体性を持って出てくることを望んで同窓会をやっている。人生は長いし、その途中でいろいろある。ビジネススクール卒業後の20年くらいは良くても悪くても途中経過にすぎない。そのときに再び同窓生と会ってネットワーキングをしたり情報交換をしたりしてくれればいい。妙な競争意識から、今の自分より成功している奴のまぶしい姿を見たくないと欠席を決め込むのは、その人の復活につながらず、低迷に拍車をかけてしまう」と言っていた。

このように張り合う必要はないが、他者は気にしていいと思う。むしろ気にするだけでなく、「助けを求める」姿勢のほうがいい。頑張っている奴や成果を出している奴がいたら、正直に「俺は今困っている。どうしたらいいか助けてほしい」と伝えるのだ。仮に過去にライバル同士であったなら、その当人から「手を貸してほしい」との申し出があれば、相手は悪い気はしない。

上から目線で教えてくれる人もいるだろうが、それくらいいいではないか！　勝っている人、調子のいい人から、教えを乞うのはむしろプラスだ。ここでも妙なプライドは本当に邪魔にしかならないのである。

苦手な相手に「うん」と言わせる説得術

小さな合意から積み重ねる

あなたは、誰かから嫌われるのが怖くて、自分の言動を制限してしまったり、顔色を窺《うかが》ったり、変に気を遣ったりしたことはないだろうか？　現代のストレスの根源はここにある。

しかし、この際積極的に嫌われる必要はないが、「嫌われたとしても、それは相手の気持ちなので仕方ない」と割り切ったほうがいい。人間、腹をくくるとストレスがなくなり、行動力が増す。他人の気持ちはコントロールできないし、お墓にも持っていけない。嫌われたら残念ではあるが、それはそれで仕方ないのだ。

私は血気盛んで派手で、生意気の限りを尽くしてきた人生なので、敵をたくさん作ったし、多くの人から敵視もされてきた。

そこで、ここではもうすでに嫌われた結果、敵を作ってしまった場合の対処の仕方について書いてみる。

敵を味方に引き入れるのは一発ではなかなかできない。共通の強力な敵が生まれた場合は共闘を通じて仲良くなれるが、そういう付け焼刃のような関係改善では共通の敵が消えたら元の木阿弥《もくあみ》になりかねない。ここは地道に時間をかけて関係を改善していくしかない。

私は無所属で国政選挙に挑戦し続けていたので、その後当選して入党した自民党からは常に敵視されていた。

もともと最初の選挙のときから自民党から公認の声をかけていただいていたが、自分の信念で、無所属で当選してから入る政党を選ぼうと思っていた。選挙のときから大政党に世話になると、当選には近道だが、当選後の発言権が制限されると思っていたからだ。実際、自民党議員に聞くと、今の党は小選挙区制が定着したころの自民党の雰囲気、つまり党首や幹部には物申せない空気らしい。今は支持率の高い政党から公認を得ていれば選挙は楽に通る可能性が高い。そのため私の予想通り、党の幹部を敵に回すような発言は、次回の選挙の公認問題につながるので、党内での自由な発言権が自主的に制限されているようだ。

逆に私のやり方では大きなデメリットもあった。当選後自民党に入ったものの、ずっと敵対してきた仲なので関係修復に苦労したことだ。前述したが、どんな大物政治家でも一度選挙で戦うとこんなに恨みを持つものかと実感した。それも、選挙は私のほうが負けたのに勝ったほうが恨んでいるのだから、私のような「終わったことは水に流そう」的な庶民感覚からは、彼らの態度は信じられなかった。政治家になって思ったが、強力なライバルが出てくるとお金はかかるし、余計に頭は下げないといけないし、選挙が面倒になる。それは怒るわけだ。

私は党本部に言われたように地元で戦ってきた自民党の有力メンバーに挨拶に行った。アポも取れない、会ってもくれない、そういう人が少なからずいて、「次回の選挙も応援するどころか足を引っ張ってやる」と言っていた人もいた。当時の自民党は今よりパワーがあり、その証拠に地方組織のほうが党本部より力があって党本部の言うことを聞かないケースもあった。私の地元も当時はそんな雰囲気だった。

そこで、私は小さな合意から積み重ねることにした。いきなり仲良くしてほしいというのは無理なので、まずは玄関に入れてもらうことから始めた。現職の国会議員が玄関に入れてくださいと言えば、家族に説得されるなどして仕方なく玄関に入れてくれた。そこでまずは立ち話。共通の盛り上がるような話をして、お礼を言って帰る。同郷なので必ず共通の知人はいるし、地元の課題を知ってその解決のために奮闘するのが選出議員の役割なので、話題はいくらでもあった。玄関をクリアすると次は応接間での懇談をお願いした。応接間で話ができるようになると、次はその人の会社や組織で懇談できるようになる。そうやって共に時間をすごしていけばお互いに理解でき、時が対立を溶かしてくれる。

このように、小さな合意から積み重ねていくことはとても重要である。時間をかけて悪感情を溶かしていけば、付け焼刃の連携より土台がしっかりした関係が築ける。

手っ取り早い関係改善法

さらにテクニック的なことを挙げれば「期待値マネジメント」がある。まずは決裂覚悟で、こちらに有利な条件で高めの球を投げてみる。敵同士の関係から始めるので、最初からの合意形成は難しい。そして、相手を憤慨させない範囲で決裂に持っていき、その後こちらが譲歩するというやり方だ。冒頭に紹介した小さな合意から積み重ねることがボトムアップだとしたら、こちらはトップダウンに近い。

最初にこちらが高めの球を投げておいて、相手の合意への期待値を下げる。相手はこちらの要求がのめないくらい高いと、期待値を変化させてくるのだ。その後のこちらからの譲歩は相手にかなり大きく映り、相手との関係改善の期待値を上げていくことになる。そして、こちらが譲歩することにより相手にも譲歩せざるを得ない雰囲気を作り出すのだ。そこで合意すれば、敵を味方にできる。

これは相手を見て、まずどれくらい高めの球を投げるかのさじ加減が難しい。決裂の度合いによっては、そこで関係が終わってしまう場合もある。

決裂後にコミュニケーションが持てても、どれくらい譲歩すれば相手も譲歩してくれるのかを見極めるのも難しい。いきなり最初に投げた高めの球から半分の高さまで落としたら、手の内を見透かされ、そこで関係がさらに悪化する可能性がある。

しかし、この期待値マネジメントのいい点は、うまくいけば関係改善がボトムアップ方式より早くできる可能性が高いということだ。

期待値マネジメント法は、こちらだけでなく、相手にもこちらとの関係をいい方向に変えたいという思いがあるときにだけ効力がある。そもそも相手がこちらとの関係改善に関心がなかったら、この方法は有効ではない。

敵との関係改善は、地道に時間をかけてやるのが筋だ。よって、一緒にいる時間を増やしていくことが事の本質である。ギクシャクしても真摯に向き合う時間を共に持つことが大事なのだ。時間というのは貴重なものであると同時に、関係改善の最高の妙薬だ。何事も地道にコツコツ積み重ねてきたものだけが本物になる。

突き抜けたプレゼンはテクニックより「本気度」

自分に自信がなく、自己主張をするのが苦手という人が日本人には多いようだ。一方、自己主張が激しい国民としてまず頭に思い浮かぶのは、アメリカ人やインド人である。だが、彼らにしても生まれつき皆が自己主張できるわけではない。彼らも教育の中で自己主張を鍛え上げているのだ。東京都江戸川区にあるインド人小学校で実際に見せてもらったが、毎朝、全校生徒の前で、一人の子供が5分くらいのスピーチをさせられていた。テーマは最近自分に起こったことでもいいし、皆が知っているようなニュースに関することでもいいという。

小さい子供たちはただでさえ集中力が続かないので、その前で皆に最後まで聞いてもらえるような話をするのは至難の業だ。毎日これを繰り返していくことで他人から学び、先生から指摘され、上手になっていく。欧米でも人前でスピーチをする機会を教育の中で結構作っている。

このように、上手に自己主張をするには慣れしかない。人の面前で自分の思いを上手に伝えるには訓練が必要なのだ。人前で緊張しても、言いたいことを忘れずに、理路整然と正確に、コンパクトにわかりやすく伝える訓練をしておこう。一番いいのはＴＥＤやＹｏｕＴｕｂｅで上手な短時間のスピーチをたくさん聴くことだ。

最初のジョークで自分と聞き手の緊張をほぐして心をつかみ、結論からわかりやすく相手に理解してもらえるように話してみる。そして、その理由や根拠を理路整然とかつ面白おかしく親しみをもって伝えていこう。

このとき何よりも大切なのは、本気度だ。マニュアル通りのフレームワークや出来すぎたパワーポイントが本気度を下げてしまうことがある。それよりもどうしても伝えたいものやその理由にフォーカスしよう。

テクニック的な出来は7割くらいでいい。つかえても、ページを飛ばしても、多少数字が間違っていても、それよりも情熱がカギを握る。「どうしても伝えたい」「わかってほしい」「やりたい」、そういう気持ちを１２０〜１５０パーセントの本気度で伝えるのだ。逆に言えば、１２０パーセント超えのエネルギーを投入しないと人の気持ちは動かせない。

人は数字やグラフで説得されるときもあるが、何度も言うが、所詮どんなに頭のいい人間であってもコンピュータとは違う。感情に支配されているのだ。だからこそ、感情を揺り動かすのだ。

そのためには、準備が大事。プレゼンは何度も繰り返し準備しておこう。うまくいったプレゼンでもさらによくできるはずだ。何度も練習していると、何を訴えたいのかがはっきりしてくる。資料を見ないでも説明できるくらいになるまでやろう。そして、そこからは本気の情熱だけだ。

練習せずに情熱でごまかそうとするのはいけない。情熱が一番大事だが、練習していないプレゼンにはそもそも魂が入っていないのだ。

私もギリギリまで緊張感を持って練習する。その緊張感がプレゼン冒頭の〝つかみ〟につながるのだ。そして緊張感を解き放つような情熱で突っ走るのだ。練習しないと準備しないと、その緊張感も情熱も生まれない。物事は準備がすべてなのだ！

自然と自信がつく、スーツの着こなしのコツ

「身なり」は大事である。世界ではあなたの経歴や発言の前に「身なり」で相当な部分まで判断されている。ビジネスパーソンならスーツ姿を大事にしよう。まずスーツはオーダーものを着てみるのがおすすめである。私は体格的にオーダーメイドスーツしか合わないし、社会人になる前からそれしか着たことがない。身体に合ったスーツはストレスが少ない。また自分で生地から全体のカット、ボタンやポケットの形まで決められるので、作るときも楽しい。プロが流行も考慮に入れながら自分に合う生地やスタイルをアドバイスしてくれる。

今の若い人のスーツ姿を見て思うのは、おしゃれだけど身体に合っていないスーツを着ている人が多いということ。これは既製服、いわゆる吊るしを多くの人が買っているからだろう。今はオーダーメイドでも、吊るしと大差ない価格で作ってくれる店もある。ま

た、あらゆる持ち物に言えるが、いいものを長く使うほうがたいていの場合、コストパフォーマンスはいい。

シャツもオーダーがいい。肌着の上に直接着るものだから、自分に合ったものにしたほうがストレスはさらに少なくなるのだ。あとはこまめにクリーニングすること。いいスーツやシャツを作っても、よれよれになったものを着ていては印象が悪い。

清潔感と適度なグレードを感じさせる身なりは、あなたの信用度をかなりアップさせる。着こなしは本人のあらゆる物事への姿勢を感じさせる。派手に高価なもので飾るのはむしろ逆効果だが、分相応に身体に合った清潔な着こなしは、他人からの評価だけでなく自分の自信もアップさせる。

心がポッキリ折れたときの自信の取り戻し方

本当に心がポキッと折れたときは思い切って休め！　心が折れるということは、身体にたとえれば、骨が折れることと等しい。心が「休め！」というサインを出しているのだ。そんなときは、個人差があるので精神的にものすごく強い人は追い込んでもいいかもしれないが、こういう本に救いを求めているような人は追い込まないほうがいい。

思い切ってこれを機会にリフレッシュすべきである。よく筋力トレーニングで「休むことも勇気。休むことも練習」というが、心が疲れているときも同じである。身体のトレーニングも疲れているときに追い込みすぎるとケガにつながるし、ケガにならなくても体力が向上しない。心が折れてくたくたになっているときに頑張ろうとしたら、心の病になってしまうのではないかと思う。

リフレッシュは徹底的に仕事や責任を忘れることから始める。そのためには、自分がいる場所を変え、付き合う人を変え、一日のリズムも変えるべき。これを実践するためには時差があるような場所に行ったらいい。そうすれば、自然と付き合う人も変わるし、時差が生活のリズムも変えてくれる。それくらいしないと頭の中を空っぽにしてリフレッシュできない。空港へ行って飛行機に乗るまで、飛行機の中、と段階を経て自分の心のモードは自然とリフレッシュモードへ切り替わっていく。

家で休んだり、近場で遊んだりするのもいいが、慣れた場所にいたらどうしてもいつもの生活のリズムが襲ってくる。私は最近は心が折れるというような体験はあまりないが、忙しすぎたり、仕事の重みを感じすぎたりして、本当にくたくたに疲れ果てることがある。そういうときは思い切って場所を変える。海外に行ったり、日本の人里離れた山奥に行ったりする。そしてパソコンやスマホを手放し、仕事や日常から離れる。

心の疲れが取れれば、自信はある程度戻ってくる。自信がなくなる原因のほとんどは心の疲労だ。自信は失うのは早いが、取り戻すのには時間がかかる。ちょうど筋力のようなものだ。筋力も、コツコツとトレーニングで鍛錬し、食事のバランスや休養に気をつけて初めて培われていく。

筋力アップにはトレーニングで筋繊維を破壊しておき、その後、休養することによって

「超回復」を起こすことがベストだと言われる。破壊をして休養をとることで、筋力は戻りながら、さらに高まっていくのだ。自信もそうだろう。破壊されたときは休んで〝超回復〟を目指そう。その過程で自信を取り戻しながら前よりも向上していく。頑張るときは本気で頑張るならば、リフレッシュも本気になって徹底的にやるべきだ。

他人を恨むな

他人のせいだと思いたくなることは誰にでもある。あのとき、あの人がこんなアドバイスをくれなかったら、あのときあの人があんなミスをしなかったら……。しかし、そのほとんどは自分がしっかり準備していれば防げたものだ。準備しても防げなかったとしたら、それは仕方がない。

１００パーセント他人のせいという事故はあるだろう。あくまでそれは確率的には少ないことで、さすがにそういう事故は自分でコントロールできないといえる。だが、それ以外、物事の90パーセント以上は自分の責任だ。自分と向き合い、未来のシナリオまで想定して、逆算して準備していれば、たいていのことは他人のミスのせいで失敗することなど防げる。

自分の人生を振り返っても、他人のアドバイスを聞いて失敗し、その人を恨んだことがあった。だが今考えれば、その人の助言を自分で消化し切れていなかった。他人が良かれと思って指摘してくれたことでも、実際はその人がこちらのことや取り巻く環境のことを正確に理解していることは少ない。なので、それを鵜呑みにして失敗してしまったとしても自分の責任なのだ。

だからこそ、他人のアドバイスも自分で1回消化して、自分の状況に合わせて再検討しなければならない。そのためには、普段から自分と真摯に向き合っておかないといけないのだ。

相手からの批判や注意の言葉を受け止めるときに、こちらが卑屈になる必要はない。「自分が悪いんだ」「責任は自分のほうにある」などとまで思って、自分を落ち着かせたり、相手の言い分を受け止めたりする必要はない。人生は卑屈になるより、根拠がなくても自信を持つほうがうまくいく。自分をどこまで信じられるかが人生の分かれ目といっても過言ではない。成功者とは、自分の能力を信じて、それを向上すべく努力し続けられる人だと思う。

シリコンバレーでは「大失敗ほどレジュメに書くべき最高にクールなことはない」と言われる。「失敗したことのある人間でないと信用できないし、大きな失敗ができるということは相当な実力がある証拠であり、また、その大失敗から学べる人間であり、学んだことはかけがえがない」と思われるのだ。

自分を責めたりすることより大事なのは、自分の目的をはっきりさせることである。それを強く思えば、冷静になれる。「実績を残して他の部署に行きたい」「早く昇進したい」「成長して会社を辞めて起業したい」「昇進も待遇もそこそこでいいから、波風立てずに安定した生活を送りたい」「会社のお金で、または、自分でお金を貯めて、留学したい」。皆、社会人生活をしていていろんな思いがあるはずだ。これを強く思えば、たいていの嫌な思いや失敗は乗り越えられる。

最 終 章

アホとではなく自分と戦え！

ネットを見る暇があったら自分と向き合え

成功者がSNSをしないワケ

アホと戦ったり、他人の目を気にしたりという雑念により、自らをおかしくしてしまう責任は自分にある。そう、戦うべきはアホでも、他の誰でもなく、自分なのだ。自分の頭の中の考え方である。誰かを相手にしたり、憎んだりして目標を見失わせているのは、自分の頭の中にあるセッティングなのだ。アホと戦う暇があったら、そんなことを考えてしまう自分と戦うべきだ。そして自分と戦うためにも、自分と向き合うべきだ。

自分と向き合う時間を確保していれば、気持ちを荒《あら》らげる暇はなくなる。他人を見て焦ったり、怒ったりするときは、きちんと自分と向き合ったほうがいい。自分を見失っているときに他人が気になるものだ。関心を他人から自分の頭の中に向けるのだ。

私の親しい起業家たちはSNSでほとんどアップしていない。理由は簡単だ。まずそんなものを見たり書いたりしている時間がない。次に彼らの活動や持っている情報は簡単にそういうものでシェアできない。シェアしたら損な情報ばかりだ。たまに情報をアップしていても、本当に親しい友人の間だけの設定になっている。

SNSを自分や自分の会社のためのマーケティングに使うのはアリだが、それ以外ではSNSにはまればはまるほど、自分でものを考えたり、アップサイドのある人と直接絡んで自分を成長させたりする機会が少なくなる。くだらない投稿を見て可処分時間を浪費したあげく、気分は悪くなる。他人の動向が気になるばかりで、自分の主体性を失い、妙なストーカー気分になり、自己嫌悪に陥る。

そもそも、多くのSNSは無料であることからして、直接社会にとっての付加価値を生み出すものではない。たまにSNSの中のアイデアを価値を生むビジネスとして実現させる人もいるが、多くの人は有限で貴重な時間とエネルギーを浪費しているのではなかろうか？

SNSが誕生したときは物珍しさもあって、私から見てそれなりの人物もよく使っていたが、今やそれなりの人は多忙であり、簡単にシェアできない情報に囲まれているので、彼らはSNS上にあまりいなくなった。その結果、やりとりが楽しめなくなり、タイムコストが回収できなくなった。よって、私も最近はあまり使わなくなった。

SNSの世界にはいろんな人がいて、学ぶべき意見も多々あるが、同時に現状に満たされていない人も多く生息するので、そこでの情報共有には注意を払うべきだ。

自分を叱咤激励せよ

時というのは皆に平等にあるはずなのに、その使い方で人生が大きく変わる。時間をうまく使うためには自分と向き合う時間を持つことだ。他人に相談しても結局、自分が思いたい方向に結論を持っていくだけである。それなら自分がなぜそう考えるのかを自分に問うて知っていくほうが早い。

特に、自分の判断の基準を持つのが重要だ。なぜなら人生における幸せとは、自分の「心からの納得」にしかなく、納得は自分の「最も大切な基準」が満たされることで初めて生まれるからだ。だからこそ、「自分は何が満たされたら納得がいくのか」を自分と正直に真正面から向き合い確認しておく必要がある。

お金でもいい、地位でもいい、権力もアリだし、社会貢献もあるだろうし、真実を求めることかもしれないし、この本ではあまりおすすめしていないが正義を最優先することもあるだろう。それならば納得が得られるという基準を自分に正直に確かめてみよう。

わかっていそうで一番わかっていないのが「自分」である。自分を知り、自分をいい意味でコントロールすることほど、人生で大切なことはない。自分がわからないと幸せにはなれない。いくら特殊能力があるとはいっても、数分しか会わない占い師にみてもらうよりも、いつも自分と一緒にいる自分が自らを理解することのほうが簡単であり、正確であり、意義があるのだ。

デキる人間に囲まれた環境に飛び込め！

人間は環境に左右されやすい動物だ。ぬるま湯の環境にいれば、そのままぬるま湯につかってしまう。だからこそ、自分の尻を叩いてくれる環境に自らを置くべきだ。刺激的で向上心を自然と芽生えさせてくれるようなグループ、そして自分がなかなか入れないようなグループに入るのをおすすめする。

年率10パーセントで成長しては、能力が倍になるのに7年余りかかる。22歳で社会に出て30歳頃に能力が倍になっているということで、これは平均的だ。年率25パーセントで成長すれば3年ほどで倍の能力になれる。20代半ばで能力が倍になり、30歳頃には6倍になっている計算だ。そのためには成長できる環境に身を置くことだ。こういう環境にいればアホと戦っている暇はない。

会社でも勉強会でも、誰でも入れるものに入るのはおすすめしない。面接等の選抜過程が厳しかったり、誰かに推薦してもらわなくてはならなかったり、入るのに資格や試験があったりと、そう簡単に入れてもらえない場にいるべきだ。そのために何をしなくてはならないかを知って準備するのだ。

私はバブル入社組だが、当時は世界で最も賢い連中は金融に行く時代だった。その中でも資本主義における最高の取引である企業の買収、いわゆるM&A部門に最高の英知は集結していた。私はそこだけを目指し、人事部長とのサシでの面接で背水の陣で直談判したことは先に述べた通りだ。その後の1カ月の新入社員研修で様子を見られることになり、ここではとにかく試験から講義まで、いい意味で目立つようにベストを尽くした。

研修最終日に配属が発表になり、会社設立以来最大規模の数だった新入社員のどよめきの中、私の人事が発表された。

その後も最高のメンバーの中で鍛えられ、MBAより優秀な連中が集まると噂されたアメリカロースクールへの留学を目指した。社内選抜を勝ち抜き、難関のデューク大学ロースクールに合格し、ここでも選ばれた学生たちとの交流で自分を成長させていった。その後、エール大学の大学院でソ連が誇った宇宙物理学者など、世界最高峰の頭脳と机を並べて経済学を学んだことも、自分を成長させてくれた。

政治家を目指したのも、ある意味、自分よりできる奴に囲まれるためでもあった。もちろん、志を立てて日本をいい方向に導くためであったが、物事の目的は「あれかこれか」ではなく、「あれもこれも」である。日本で最高の人材が集まるといわれる霞が関と永田町でもまれてみたかった。霞が関の頭脳と永田町の人間力ある実力者たちに囲まれ、自分を磨き、大いに学んだ。また政治家になったおかげで、ビジネス、芸能、スポーツ、学術文化など各界の一流の人材と交流でき、刺激を受けてきたことも、自分を大きく成長させてくれた。

選挙に挑戦して勝ち抜いて、与党に入り、与党の最大派閥に入ったからこそ、積めた得難い経験の数々であった。政治家であった経験、しかも与党で政府で仕事をさせてもらった経験を買われ、エール大学、ハーバード大学、ランド研究所などが研究員のポジションを与えてくれ、国立シンガポール大学は教授として迎えてくれた。こういうところで、さらに世界の多様な素晴らしい人材に囲まれ切磋琢磨できているから、次々と自分の新たな世界が広がる。なかなか入れない世界を狙って、入れるよう努力して、挑戦し続けて今がある。自分でやってみて、「自分よりデキる人間に囲まれてこそ成長する」「戦うのは自分よりできる人材と」という仮説は正しいと胸を張って言える。

自分の人生に満足できるかが、すべて

ACミランの本田圭佑《けいすけ》選手も、ニューヨーク・ヤンキースのマー君こと田中将大選手も、自分と向き合っている人間だと思う。彼らはメディアや観衆の評価に流されないことがその証拠である。マー君がオープン戦のブレーブス戦で好投し、スタンディングオベーションを受けたとき、彼は「自分では納得いかない投球だったので、どうしたらいいかわからなかった」と述べていた。いかにゲームで活躍しても、自分の納得がいかないプレーであれば喜べないのだ。逆に、いかにメディアや観衆がこきおろそうとも、自分が納得したプレーができていれば喜べる。

自分と向き合い自分の基準を持てば、他人の評価や他人の目に影響されなくなってきて、そういうものからストレスを感じにくくなってくる。

あなたの人生はあなたが責任を持って作り上げるもので、他人がどう思おうが（それはよく思われるに越したことはないが）、結局はあまり重要ではない。最後、死ぬときは一人であり、あの世に持っていけるのはあなたから見た達成感くらいだろう。人生の意義とは、ざっくり言えば自分が満足するかどうかである。

しかし、現代社会、特に人の目を非常に気にする日本社会で育ってきたわれわれは、他人からの評価に左右される人生を送っている。人間は周りに影響されやすい生き物なので、デキる人間に囲まれる環境を作ることは大事だが、そうした環境に満足するだけでなく、自分が納得できることが達成できたか、という自分だけの基準が重要だ。だからこそ、自分と向き合う必要性があるのだ。

自分と向き合うには、ここでも幽体離脱が必要だ。一度自分を抜け出して客観的に見ないと、本当の自分と語り合えない。そのためには、まず自分だけの時間を確保することが重要だ。他人に囲まれてばかりだと、自分と向き合うことはできない。自分ひとりの時間でもテレビやパソコンやスマホを見ていたら、自分と向き合えるわけはない。

私は自分と向き合うときには、外を歩いたり軽くジョギングしたりする。軽く身体を動かしながらのほうが自分に問いかけられる。それは心地よい疲れが雑念を排除してくれ、素《す》の自分になりやすいからだと思う。家族は大好きでも、それと離れる時間を確保しないといけない。電話やメールやテレビからも逃れないといけない。そうなると、それらから離れて走ったり泳いだりする時間は貴重だ。

また、出張中の電車や飛行機の中もいい。特に海外出張のときの機内は贅沢な時間だ。航空会社によってはＷｉ－Ｆｉがつながる便もあるが、たいていはネットから解放され、自分の時間が持てる。飛行機の座席の前には映画やゲームを楽しむスクリーンがついているはずだ。そこは何も映さなければ鏡になり、そこに映った自分と向き合える。自分と向き合うときに鏡の中に自分がいるのはいい。自分の表情で自分の想いが確かめられる。

意外にいいのはトイレと風呂の中だ。長居して家族に迷惑をかけなれば、そこも自分と対話できるスペースである。空間的に狭いほうが自分と向き合い追い込むのにベターだ。

飛行機の座席のスクリーンもその役割を果たすといったが、トイレや風呂の鏡の中の自分と向き合うのもいい。自分に見せる自分の表情には本音が出ている。

「お前は本当に今のままでいいのか？」

「本当は何がしたいんだ」

「お前の中で一番大切なものは、価値は、何なんだ？」

「今、全力を尽くしているか？」

「怠けていないか？」

「本当にその仕事が好きなのか？」

などと問いかける。そのときの表情で自分の中を知ることができる。いくら強がっても本気でないときは自分の表情を直視できないものだ。

また日記をつけるのもいい。日々の日記には偽りや強がりも入っているが、過去の日記を時系列で見ていくと本物の自分が浮かび上がってくる。本当にやりたいことやりたくないこと、自分にとっての優先順位や傾向が継続的に記された日記を時系列で見ていけば明らかになってくる。

こういうことを繰り返していくと、強がりや見栄という余分な部分がそぎ落とされてきて、自分が何者で、何がしたいのか、何が気になるかが徐々に見えてくる。

リスクだらけの人生をどう生きるか？

準備をして未来に自信を持て

成功も安全も、日本にいても外国に居を移しても、簡単に水や空気のように手に入る時代ではなくなってきた。そもそも水や空気もタダではなくなってきている。戦後から約70年の日本の状況が、ある意味日本や世界の歴史の中で特殊だったのだと思う。

戦争に負けた日本は、ゼロからの厳しい出発を本来ならしなければならなかった。しかし、アメリカから見た日本という脅威が去ったあと、新たなる脅威、共産主義の台頭が起こり、それを押しとどめるために日本に大きなチャンスが巡ってきた。アメリカが日本の防衛を肩代わりし、経済復興のために支援をしてくれ、共産主義との戦いが朝鮮半島で起こる。それが特需をもたらし、日本は復興を果たした。もちろん当時の日本人の奮闘もあった。そこで日本人は豊かになり、安全を獲得した。

しかし、世界最高レベルの豊かさを享受する日本は、これから高齢化、グローバル化、気候変動、テクノロジーの発達、中国の台頭とアメリカ覇権の衰退という未曽有の大変化により、経済・財政的にも、地政学的にも、非常に厳しい時代を迎えることになる。日本は素晴らしい国だが、今までのような安全や豊かさがこれからもそんなに努力しなくても手に入るという時代ではない。

これからは国内にいては、社会保障の負担は上がり、雇用は減り、経済は縮小し、地政学的にはアメリカがアジアから影響力を失っていく中、日本を快く思っていない中国がさらに台頭し、それまでに北朝鮮で何かが起こる可能性がある。もっとミクロで見れば、単純労働はＩＴや人工知能やロボットに奪われ、頭脳労働と言われる職種も一部がそれらテクノロジーに奪われてしまうだろう。

激変する時代、そして自分の身のまわりで起こる事態を予想し、逆算して今から準備しておくことが必要だ。過去の延長に未来がないことだけは真実で、変化を嫌うことは最大のリスクを招く。変わることにもリスクはあるが、今のままでいることは危険だ。

ピンチをチャンスと考える

これからの時代は、人類史上、今までなかった大変化が複合して起こっていく。そして、この変化は常に下剋上のチャンスをもたらす。変化がない時代は、それまでの時代に恵まれていた人たちのいいポジションが固定化されやすい。それまでにおける勝ち組・負け組が固定化されてしまうのだ。これでは挑戦者に機会が与えられず不公平であり、下剋上が起こりにくい。しかし、これからの時代の変化は、今まで固定化されてきたポジションを〝ご破算で〟とゼロから変えてくれるだろう。

事実、英エコノミスト誌が出した「2050年の世界」によると、「1956年から81年までに『フォーチュン500』企業の入れ替わりは毎年平均24社なのに対し、82年から2006年の間では同40社に増えた」とある。

その代わりチャンスとピンチは表裏一体で連続して訪れるだろう。変化をチャンスと捉えるかピンチと捉えるかはあなた次第だ。考え方次第でピンチにもチャンスにもなり得る。というより、そもそもピンチもチャンスも変化がもたらす表裏一体のものなのだ。

あなたがそこそこ成功しているときに大変化がやってきて、あなたのポジションが奪われようとしている。そこでどう思うかでチャンスにもピンチにもなり得る。せっかく築いてきたポジションが奪われるからピンチだと思うのか？　今までのポジションがご破算になり、全く違う視点で新たなポジションが築けるから、今よりチャンスだと思えるか？

どうせ変化の連続なので、それまで多少の成功をしていたとしても守りに入らないほうがいい。変化の波に乗らないで、その地位を死守しようとすることは、やがてピンチに陥ることを意味する。避けられない変化には逆らわずその力をうまく使って、今の地位に執着することなく、自分が変わり続けるくらいの覚悟で変化に対応するのだ。変化の捉え方次第でピンチをチャンスに変えられることになる。

一番大事なのは、誰よりも早く変化の兆候に気付くことだ。変化がまだ「点」のときに気付けば、それが二つの点になったとき「線」が引けて、傾向をつかむことができる。しかし、そのときにはあなた以外にも多くの人がその線の示す傾向に気付いている。だからこそ、点がまだ一つのときに変化に気付き、誰よりも早く行動を起こすことだ。

戦略は常に差別化優位だが、今の時代、いいアイデアや情報はすぐに世界中でシェアされるので、時間の差別化しかない。常に人より3年先を行くのだ。

有限な人生を活かすために、私がやっていること

道半ばで逝ってしまった友人たち

有限な人生を最大限に使い切るために私がやっていることとは、人生の有限性を想定し理解すると同時に、人生の希少性も理解するということだ。いろんな宗教を信じている人もいるだろうが、多分人生は一度ではないかと私は思う。輪廻転生もあるかもしれないが、それは実感できないし、生まれ変わることがあるとしても、今生きている人生は一度きりに変わりはない。

今ある人生は、われわれの先祖が命をつないでくれた大切なもの。自分たちの先祖は、さまざまな天変地異や戦争や疫病を乗り越え、自分たちに命のバトンをつないでくれた。

もっと広く見れば、137億光年と言われる広大な宇宙で生物が生まれる環境（気温や重力など）に恵まれた惑星はかなり限られている。奇跡的に生物が生まれても、それから数十億年かけて、人生というものを意識できる人類という存在にまでたどりつくのは奇跡のようなものだ。

その奇跡のような巡り合わせの中に私たちはいる。医療をはじめとする科学技術の発達のおかげで、これからのわれわれの人生は長くなるだろうが、それでも人生にはいつか終わりが来る（私が敬愛する未来学者レイ・カーツワイル氏は、「人類は死ななくなる可能性がある」というが、どうだろう?）。

まだ若い友人や知人の中にも病気や事故で亡くなる人がいる。やはり、人生とは不条理である。まじめにコツコツ他人のために生きてきたような友人や知人に限って、先に逝《い》ってしまう。「なんでこんな誠意の塊のような若い人が早く逝ってしまい、エゴの塊のようで理不尽な言動を繰り返す年配者がピンピンしているのか」と、切なくなることがある。

日本と世界の絆になりたいという崇高な目的をもって、闘病しながらも激務をこなしてきた友人が、道半ばで最期の瞬間を迎えねばならないと悟ったとき、何を感じただろうか？　それを思うだけで彼らの口惜《くちお》しさが伝わってくる。目の前で、熱く語り合ったあの人たちの姿が目をつむればいまだに浮かんでくる。

ただ、これは他人事ではない。いつ私や私の大事な人たちに病気や事故が訪れるかもしれない。

私はまだまだ絶対に死にたくないし、そのためにできることは何でもやるつもりだが、自分のモチベーションを上げ、人生の意義や大事にすべき目標を確認するために、自分の最期を想定し意識する。その瞬間何を考えるだろうか？　何が持っていけるのか？　死んだあとはどうなるのか？　そう考えれば大事なものが見えてくる。

死ぬときを想定すると、人生のありがたみやその中で大事にすべきことが強く認識されるようになる。逆に人生の有限性を認識せず、それを錯覚していつまでも時間があると思えば、それもわからなくなるのではなかろうか？

道半ばで逝った知人らの最期の瞬間の思いを考えてみると、やりたいことは今しておくべきだし、それをやるためだったら誰から何を言われようが「知ったこっちゃない」し、同時につまらない意地やプライドは人生で何の意味もないと思えてくる。

肉体のコンディショニングを重視せよ

ここからは、具体的に私が「人生を使い切るために何をやっているか」について述べてみたい。まず、人生を使い切るためには、常にいいコンディションを維持すべきだ。いいコンディションさえ常に保っていれば、時間当たり、使用エネルギーあたりのパフォーマンスを最大化できる。運動や栄養や心の持ち方を常に意識して準備し整えていく。

若い頃は見栄えのよい肉体にするために、筋肉を増やすためにトレーニングをしてきたが、そういう肉体もいずれは燃やしてしまえば灰になって、あの世には持っていけない。この世の道具である肉体にこだわりを持ちすぎるのではなく、いいパフォーマンスのためのコンディショニングを重視する。

今は筋肉を大きくすることより、筋力と筋肉量を維持することにつとめ、ストレッチを重視して自分の身体の可動域を広げ、ケガにも強くなっておく。ストレッチは精神もリラックスさせてくれる。適度に身体を疲労させ、質の高い深い睡眠をとる。

食事も季節のものをバランスよく、量より質にこだわって、野菜も魚も肉も量は少なめで、品目は多めに摂る。よく噛んで満腹感を高めるとともに胃腸の負担を減らし、脳への血流を改善させる。

このコンディショニングは人生をより長くするためにも有効だ。健康でバリバリ活動できる、いわゆる〝健康寿命〟を伸ばすのだ。勝海舟《かつかいしゅう》も「大事をなしたければ、長生きすることだ」と説いている。大事は成すのには時間がかかる。だから長生きしたほうが勝ちなのだ。海舟は「果報は寝て待て」とも言っているが、それも元気で長生きしてコツコツ積み重ねて頑張っていれば、自然と結果はついてくるという意味だと思う。健康で長生きしたほうが、一度の人生を思い切り使い切れる。「太く長く」とでも言おうか。

劇的に人生が豊かになる習慣

そして、自分の人生の核となる家族や友人たち、いわゆる自分の人生にとって大事な人たちとすごす時間を大事にする。いくら忙しい人でも、無駄な時間やエネルギーの使い方を減らしていけば、大事な人との大切な時間はいくらでも作れるはずだ。その時間は人生を本当に豊かにしてくれる。ただ、忙しいだけだった政治家時代にもそれなりの充実感はあったが、家族や友人を大切にできていないという喪失感もあった。今は仕事の時間も家族や友人たちとの時間もゆったり持てるので、人生がより豊かになった。

テレビやスマホやタブレットも1日の使用時間を制限し、情報や知識はスクリーンより紙の印刷物から得るようにする。電子情報は早くて便利でありがたいが、それだけだとなかなか自分の中に入っていかない。新聞や本のような、紙の手触りや厚みや重み、においやシミや汚れなどの複合情報も同時に入ってくる媒体のほうが、情報は自分の中に入ってきやすい。集中するときはスマホもパソコンもタブレットも見ない。

太陽とともに生きるべく、早寝早起きも実践している。ネガティブになりがちな夜に物事を考えるより、夜は早く寝て、さわやかな気持ちで朝を迎え、ポジティブな精神状態で物事に向かうようにしている。

たった一度の奇跡のような人生の有限性と希少性に気付けば、当然だが、コンディショニングにより力が入るようになる。このコンディショニングが貴重な人生をうまく使い切る最高のお手伝いをしてくれるのだ。

あなたの「目的」はどこにある？

これまで、自分と向き合い、自分が本当にやりたいこと、すべきことに集中せよ、と説いてきた。しかし、読者の中には、気合を入れて取り組むべきことが見つからないという人もいるだろう。

そんな人には、やりたいことを見つけることより、目の前のことを懸命に頑張ることをおすすめしたい。「やりたいことが見つかっていること以上に幸運なことはない」、と思えるほど、自分がしたいことを見つけている人は案外少ない。仮にそれが見つかっても、それをできる立場にあるかどうかも問題だ。心からやりたいことが見つかって、それをできている人は本当に幸せだと思う。

フィギュアスケートで日本人の台頭が目覚ましく、浅田真央選手が「スケートに出会えてよかった」とよく発言されているが、スケートが好きということがわかっても、それを継続できる人は限られている。ソチ五輪で金メダルをとった羽生結弦《はにゅうゆづる》選手いわく「東北地方にはリンクが一つしかない。それをフィギュア、カーリング、アイスホッケーで競い合うように使っている」という状態だという。お金も時間もかかるし、なんといってもスケートリンクが全国でどんどん廃業している。よほど実力があってスポンサーでもいて、実力を発揮していないと、いくらフィギュアが好きでも続けられない。

インタビューでは「スケートが心から好きだ」と選手たちは繰り返すが、あのレベルで練習を継続することはつらいこともたくさんあると思う。スケートが嫌になってしまうときもあるだろう。

スポーツ選手のように、やりたいことが見つかっている人はうらやましく思えるかもしれないが、野球やサッカーやフィギュアスケートが好きで第一人者になった人にも、やがてそれができないときがやってくる。むしろやりたいことが見つかっている人ほど、それができる時期は限られているのかもしれない。けがをしたり、年齢や成績から引退を余儀なくされたり、それでは食べていけなくなるときが来るのだ。

そして、やりたいことがはっきりしていた人ほど、それを取り上げられたときの喪失は大きい。そのときにやりたいことが見つかっていない人と同じように、いやそれ以上に

「これから何をしようか」と悩むのだろう。

だからこそ、やりたいことを見つけようとするのは、エネルギーも時間も無駄な気がしてならない。それより今、目の前にあることを精一杯やるべきだ。勉強でも仕事でもい い、目の前にあることに没入してみるのだ。ないものねだりをして何にも全力を尽くせない状態になるのが、一番時間もエネルギーももったいない。何度も言うが、たった一度の人生とは、宇宙スケールで見れば奇跡のような存在で、時間もエネルギーも大切にしないといけない。

「私はこんなはずではなかった」と思い続けて、探し続け、気がついたら人生の大切な時間を無為にすごしていた、というのではとても残念だ。それより人生があるだけ幸せと思い、感謝しないといけないのだ。生物学者や宇宙物理学者に会って議論すればするほど、ビッグバンから太陽系ができて、その中に生物がすめる地球ができて、その中で生物になれて、そして人間として生まれるのが、どれだけ宇宙的には稀有なことなのか、あらためて認識させられる。

誰から見てもうらやましい人生などない。多くの成功者と言われる人を見てきたが、お金があっても幸せでない人、生まれたときから有名であることから自分の人生を生きていけない人、自分の好きなことに奔放に熱中した結果、家族が崩壊してしまい寂しい思いをしている人、そんな人も多い。

すべてを手に入れて、それをずっと継続できる人などいない。人生は山あり谷あり。山や谷があるから、人生でワクワクでき、ハラハラできる。山や谷を乗り越えても、人間として成長し深みが増していく。こんな宝物のような自分の人生に出会いながら、それを思い切り使い切らない手はない。人生があるだけでもそれに感謝して、目の前のことを頑張ってみるべきだ。そこから道は開ける。

私も当時は不本意な形で政界を去ったが、悔しい思いや過去を振り返る気持ちをコントロールして、そこから人生に感謝して自分の人生を懸命に生きてきた。その過程で多くの貴重な出会いに巡り合え、政界にいても得られなかったであろう宝物のような機会をいただいた。

自分で計画した通りになるとは限らないが、懸命に生きていたら想定していたことよりいいことがたくさん起こるのだ。

目の前のことを懸命にやり切ることで、何か新しい展開が生まれるかもしれない。また、好きではない、向いていないと思っていたことが、実は好きだったとわかったり、だんだん好きになったりするということもあるかもしれない。

今目の前にあることは、自分の決断の連続の結果である。今の仕事も今の学校での勉強もそうだ。そうだとしたら、本当は無意識に好きなものを選んでいる可能性がある。目の前にあるものが好きなものである可能性は高い。

やりたいことを見つける作業より、目の前にあることに打ち込むほうが、人生のよりよい使い方だと思う。

人生は何があるかわからない。2014年のアカデミー賞にノミネートされた映画9作品のうち、6つが実話をもとにした映画だった。事実は小説より奇なり。人間の想像力は無限だが、人生はそれ以上の出来事を用意してくれている。今目の前にある仕事と出会ったのも大切な縁である。腐らずに、心折れずに、それに感謝して精一杯やってみよう。

おわりに

これからは残念ながら日本には厳しい時代がやってくる。一番の問題は人口減少だ。これに対応すべく外国人を受け入れ始めるのか？　あるいは純血主義を貫き、衰退の道を選ぶのか？　どちらにしても、〝今謳歌している心地よい日本〟ではなくなっていくと思う。これにテクノロジーの進化と気候変動と東アジアの地政学的不安定さが加わり、私たちの人生は今までのようにのんきにはいかないと思う。本書は、こうした私の見通しを伝え、できるだけ多くの皆さんにこれからに向けて準備をしてほしいとの思いで書いたものである。

どんな時代に生きても、人生は天から与えられた宝物のようなものである。科学が解明しつつあるが、この広い宇宙で生命が誕生する確率はかなり少なく、その生命でも人生の貴重さを意識するような知的生命体になれるのは、生物としてそうなるのがいいかどうかは別だが、ごくわずかである。そんな貴重な人生を獲得したという意味で、われわれはとてもラッキーなのだ。この貴重な人生を、戦略的に準備をしていって、有意義に使い切ってほしい。そういう思いでいっぱいだ。

つまらない戦いで貴重な人生を無駄使いしないでほしい。〝倍返し〟だの〝リベンジ〟だのといった言葉が流行るたびに、おせっかいだが、そんなもの相手にするなと思っていた。そんなドラマに出ていた「顔芸」と言われる俳優たちの表情は、一つの芸ではあるが一般社会ではあんなオーバー・リアクションの人は概して大成しないと思う。

あんなふうに些細なことに一喜一憂していたらストレスで病気になるだろう。また、一喜一憂するような人にはスタミナがないと思う。一喜一憂はくたびれるのだ。そして、こういう人は安定感がないので相手から信用されにくい。損なことばかりだ。長い人生をじっくり謳歌するためには淡々と生きることだ。淡々と、しかし世の中を斜めに見て、シニカルな発想で、戦略的に生きて行くのだ。

脳は使えば使うほどよくなる唯一の臓器である。ほかの臓器は使えば使うほどくたびれて病気のもとになりやすい。純粋まっすぐ素直ではなく、シニカルにしたたかに！　やられたらやり返すのではなく、やられたら、やった人を気持ちよくさせて自分のために使い倒すのだ。それが本当の倍返しだと思う。

小さな戦闘で一喜一憂するのではなく、大きな戦いに勝つべく、淡々と戦略的に生きてほしい。自分の人生を謳歌すること、つまり人生最後の瞬間を考えれば、今あるいいことも悪いことも途中経過にすぎない。まさに「得意淡然、失意泰然」でいいのである。人生を謳歌して使い切るという視点に立てば、つまらないプライドなど捨てられるはずだ。考えるべきは、自分の人生をいかに主体的に生き抜くかということだ。他人の評価も、そのために活かすなら意味はある。しかし、そうした評価や自分のプライドに振り回されては本末転倒だ。

やりたいことが見つからないという前に、今目の前にあることをしっかり頑張って結果を出せばいい。今自分の目の前にあることは、無意識に自分が選択したやりたいものである確率が高いからだ。それを夢中になってやればいろいろと見えてくる。悩むより、やる気を出すより、「没入」するのだ。

そして何より、人生は不条理なものだと認識すること。不条理というより、あなたの都合のいいようにはできていないということだ。これからは未曾有の変化が加速し、ますます不条理になっていくかもしれない。ただし、最初から不条理だと思っていれば腹も立たない。その中で結果を出している人は、私たちには見えないところでコツコツと淡々と努力を積み重ねて実績を築いている可能性が高い。他人を見て一喜一憂するのは本当に無駄だ。それより、自分の人生を、この貴重な宝物のような人生を、大事に、一喜一憂することなく淡々と、カッとしてアホと戦ったりしないようにして、使い切っていこうではないか！

つたない文章ながらこの思いが少しでも伝われば、これ以上嬉しいことはない。

最後に、ここに書いたような思いに至るまで、この本に書きながらもまだ実践できていない点も多々あるが、振り回して迷惑をかけても懲りずに私を守り育ててくれている家族と、本書で名前を挙げた恩人と、名前は挙げられなかったが、私に今でもいろいろと人生について教えてくれる友人・知人たちに感謝の誠をささげてこの本の結びとしたい。

田村 耕太郎（たむら・こうたろう）

国立シンガポール大学リー・クアンユー公共政策大学院兼任教授。ミルケン研究所シニアフェロー、インフォテリア（東証上場）取締役、データラマ社日本法人会長。日本にも二校ある世界最大のグローバル・インディアン・インターナショナル・スクールの顧問他、日、米、シンガポール、インド、香港等の企業のアドバイザーを務める。データ分析系を中心にシリコンバレーでエンジェル投資、中国のユニコーンベンチャーにも投資。元参議院議員。イェール大学大学院卒業。日本人政治家で初めてハーバードビジネススクールのケース（事例）の主人公となる。著書に『君は、こんなワクワクする世界を見ずに死ねるか!?』（マガジンハウス）、『野蛮人の読書術』（飛鳥新社）、『頭に来てもアホとは戦うな!』（朝日新聞出版）など多数。

頭に来てもアホとは戦うな！

人間関係を思い通りにし、
最高のパフォーマンスを実現する方法

2014年 7 月30日　第 1 刷発行
2018年 4 月20日　第23刷発行

著者　　田村耕太郎

発行者　須田　剛

発行所　朝日新聞出版
〒104-8011　東京都中央区築地5-3-2
電話　03-5541-8832（編集）
電話　03-5540-7793（販売）

印刷製本　凸版印刷株式会社

ISBN 978-4-02-251198-0

定価はカバーに表示してあります。
落丁・乱丁の場合は弊社業務部（電話03-5540-7800）へご連絡ください。
送料弊社負担にてお取り替えいたします。